あきらめないで！
自閉症
幼児編

医学博士
平岩幹男

健康ライブラリー
スペシャル

講談社

はじめに

私が障がいを持った子どもたちとかかわるようになって、30年近くになります。その間、自閉症を取り巻く環境は様変わりしました。私が小児科医として障がい児を診るようになった昭和50年代は、自閉症は数千人に1人発見される「まれな障がい」だと思われてきました。当時は、自閉症と診断される子どもの数は少なく、障がいを抱えた子どもたちといえば、身体障がいや知的障がい、あるいは脳炎などの後遺症を抱えた子どもたちが中心でした。

ところが、その後の数十年で、自閉症と診断される子どもたちの数は増え続けて、いまでは生まれてくる子どもたちの300人から400人に1人が自閉症と診断されます。もはや、自閉症はきわめて身近な障がいになったといえます。

あまり知られていないことですが、自閉症という障がいが認識されたのはわずか70年ほど前のことです。アメリカで最初に自閉症が報告されたのは1943年（昭和18年）のことでした。ギリシャ語のAutos（自我）という言葉から、自分の殻に閉じこもりやすいような状態ということでautismと名づけられました。それがわが国では自閉症と訳されたわけです。ただし、当時は戦時中だったこともあり、自閉症という言葉が広くわが国で使われるようになったのは昭和30年代に入ってからです。

それからごく最近まで、自閉症は知的な障がいによって起きると信じられてきたために、自閉症と診断されることは、一生知的障がいを抱えると宣告されるに等しい時代が続いてきました。そのため対応も経過観察が中心で、知的障がい児を対象とする施設に通わせて、日常の生活習慣を何とか獲得させるように努力することぐらいしかできませんでした。

私が医師になった昭和50年代も自閉症は知的障がいを伴うと教えられていましたし、療育によって症状が改善することも知られていませんでした。アメリカでは心理学や行動分析学に基づく療育法（障がいを持つ子どもが社会的に自立することを目的に行われる医療と教育）の研究と実践が進んでいましたが、日本で知られるようになったのは、ごく最近のことです。実際、私が個別療育に出会ったのは、今から7〜8年ほど前のことです。この間には、医師からお子さんが自閉症と診断され、治らないと聞かされ、絶望した保護者にも出会ってきましたし、それ以前からずっと診ている方もいます。

今の時代であったらもう少しいろいろなことができたのに、もう少し能力を伸ばすことができたのにと思うこともあります。しかし自閉症の子どもたちとかかわっていく中で、あきらめないで療育の方法を探している保護者にも出会ってきました。そして最近では目を見張るほど変わっていく自閉症の子どもたちに出会うことも増えてきました。

早期療育を受けた子どもの中には、３歳の時点で知的障がいがあり、満足に言葉を話せないと診断されたにもかかわらず、６歳の時点では「知的障がいなし」と判定された子どももいます。療育法が普及する前であったら、考えられないことです。

療育の普及によって、自閉症を取り巻く環境は一変しました。障がいを克服する可能性がある対応策があるのですから、もはや、自閉症＝絶望ではありません。しかしながら、自閉症児の療育に関する情報はまだよく知られていません。こうした情報を、自閉症と診断されたお子さんを抱えたお母さん、お父さんに伝えたいという思いが、本書を書くきっかけになりました。

自閉症については原因も含めてまだまだわかっていないことが多いことも事実です。療育もすべての子どもに効果があるとまでは言えませんから、うまくいくかどうかはわかりません。しかしあきらめないことによって何かが変わってくるかもしれませんし、信じられないような変化を見せる子どもたちがいることも事実です。

もちろんこれは魔法や何かの薬によってそうなるのではなく、あきらめない日々の積み重ねによってもたらされるものです。ですから自閉症を疑ったり、自閉症と診断されたりしたときに、絶望するよりも何かできることを探す、そしてあきらめないこと、それが大切なことだと考えています。
私は幼児から大人まで自閉症を抱える多くの方と接してきましたし、今も接していますが、本書では診断や対応について混乱の多い、幼児期の自閉症を中心にしてまとめました。本書が、悩みを抱えている自閉症児の保護者のお役に立つことができたら、望外の幸せです。

2010年春

著者

目次◎あきらめないで！　自閉症　幼児編

もくじ

装丁／重原　隆
イラスト／秋田綾子
図版／長橋誓子

第1章

自閉症って何だろう

自閉症という障がいがあることは広く知られていますが、その実態はあまり理解されていません。自分の子どもを自閉症なのではないかと疑う前に、まず、自閉症がどのような障がいであるかを理解しておくことが大切です。

そもそも自閉症って？

1943年（昭和18年）に自閉症を初めて報告したのは、アメリカの精神科医レオ・カナーです。医学論文なので少しわかりにくいのですが、まずこれについて説明しておきます。最初にカナーが報告した自閉症の中心的な症状（図1－1）には、

- 他人との感情的（情緒的）な接触が乏しい
- 言葉によるコミュニケーションがうまくいかない
- 特定の状況にこだわり、変化を嫌う
- 物体に対する興味が強く、それを操作する
- 認知能力は低くない

などがあげられていました。この基準で診断した場合には「カナーの自閉症」と呼ばれます。

他人との感情的（情緒的）な接触がとぼしい
例　喜び、悲しみなどの感情を他人と共有できない、一緒に喜んだり悲しんだりできない

言葉によるコミュニケーションがうまくいかない
例　言葉を話せない、話している内容を聞き取れない、理解できない

特定の状況にこだわり、変化を嫌う
例　積木を並べる順序などにこだわったり、順番が変わるとかんしゃくをおこしたりする

物体に対する興味が強く、それを操作する
例　時計の針を延々と回し続けたり、おもちゃの車のタイヤをくるくると回し続ける

認知能力は低くない
例　おもちゃの並び順を短時間で記憶し、わずかな違いなどに敏感に反応する

図１－１　「カナーの自閉症」の中心的症状

カナーがあげた中心的な症状についてもう少しわかりやすく説明しましょう。

他人との感情的（情緒的）な接触が乏しいとは、喜び、悲しみなどの感情を共有できないことを意味します。自閉症の子どもたちは、自分の感じていることを相手に伝えたり、相手が何を考えているのかを想像することがうまくできません。そのため、さまざまなトラブルに直面します。

言葉によるコミュニケーションがうまくいかないとは、言葉を話すことができない、文章を読めない、理解できない（理解が十分でない）などです。特定の状況にこだわり変化を嫌うとは、おもちゃの車など、物を並べる順序や目的地までの道順、ドアの開け閉めなどにこだわったり、その順番や状況が変わるとかんしゃくをおこしたりすることなどを指します。

物体に対する興味が強いとは、人間や動物などの生物よりも、積み木や車のおもちゃなどの物体に興味を示しやすいことなどです。認知能力とは、物や人物、場面などを区別し、認識する能力です。さきにお話ししたようにおもちゃの並び順のようにちょっとした違いなどに敏感に反応することが多いことから、自閉症児の認知能力自体は低くないといわれています。

カナーの論文は、従来の医学では見すごされてきた障がいに光を当てたという点で画期的なものでした。

しかし、この論文が発表されたころは第二次世界大戦の最中で、その後もわが国では戦後の

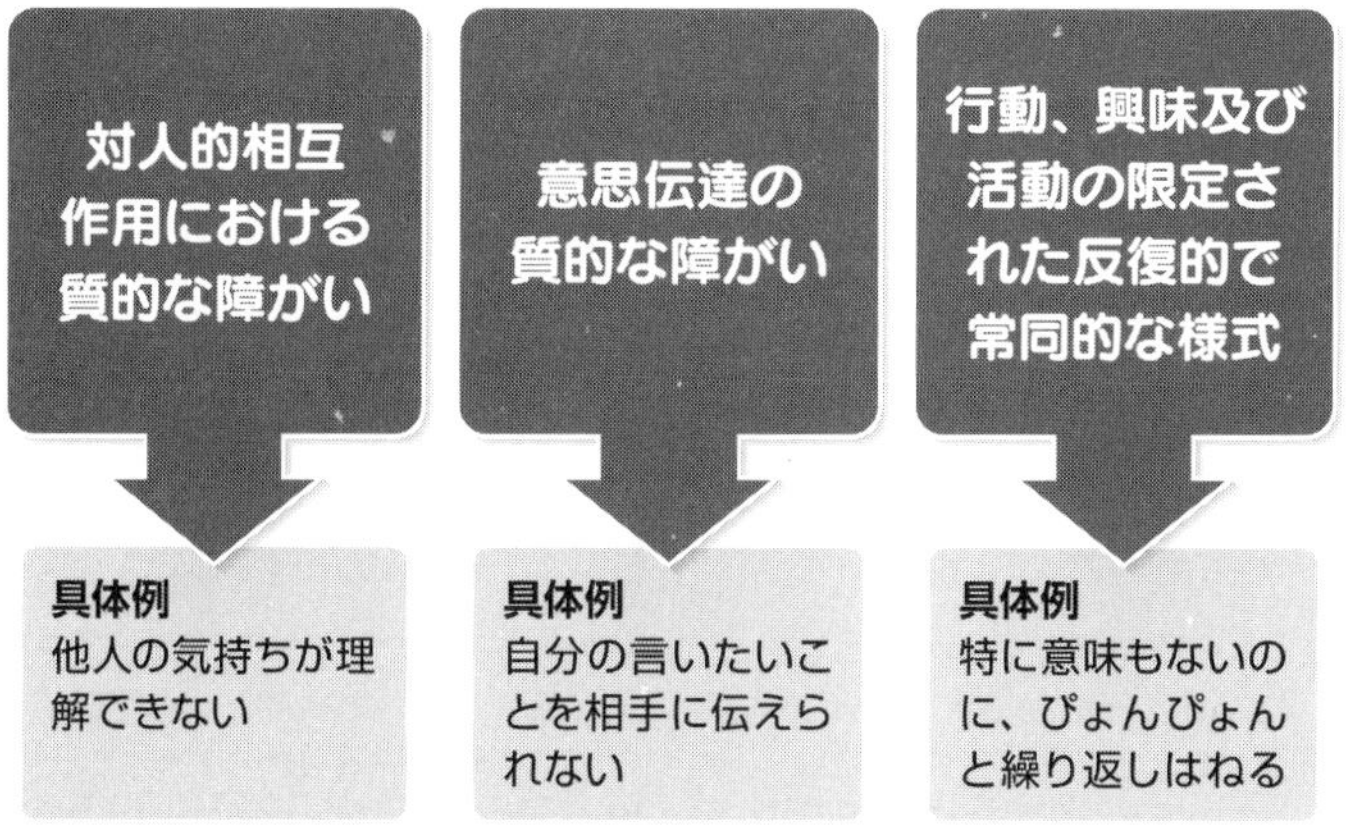

図１－２　DSM－Ⅳ－TRの自閉性障がいの３つの中心的症状

国際的にもよく使われている精神疾患の診断マニュアル、アメリカ精神医学会のDSM－Ⅳ－TR(2000年)では、自閉症は「自閉性障がい」という名前で記載されています。自閉性障がいの特徴として、上記の３つがあげられています

混乱が続きましたので、自閉症という概念が入ってきたのは１９４０年代の終わり頃でした。

１９５０年代後半（昭和30年代）からは、心理学や精神医学の世界を中心として知られるようになり、「自閉症」という言葉が使われるようになりました。カナーの診断基準で「自閉症」と診断された多くの子どもたちは言葉の能力が低かったため、自閉症とは知的な障がいを伴うと考えられてきました。

事実、あとで説明する発達検査や知能検査を行ってみると、「知的な障がいがある」と判定される点数しかとれない子どもがほとんどでした。

自閉症の3つ組

自閉症を知的障がいと結びつける考えに対しては、これに異論を唱える学者や研究者も少なくありませんでした。自らも自閉症児を抱えて、世界的な児童精神科医として知られるイギリスのローナ・ウィングは、「自閉症は必ずしも知的障がいを伴うものではない」という考えを1970年代から提唱しています。

ウィングは、「カナーの自閉症」とは異なる「自閉症の3つ組」と呼ばれる中心的症状を掲げて、自閉症を再定義しました（図1－3）。この「自閉症の3つ組」は、さまざまな症状を持つ自閉症を診断する有力な根拠として研究者の間で広く支持されるようになってきました。

「自閉症の3つ組」と呼ばれる自閉症の中心的症状は、以下の3つです。

●社会性の問題
●コミュニケーションの問題
●想像力の問題

明快な概念ですが、少しだけ補足しておきましょう。「社会性の問題」とは、他人とのかかわりへの興味の欠落と言い換えることができます。人と関わるよりも物に執着する、他人を意

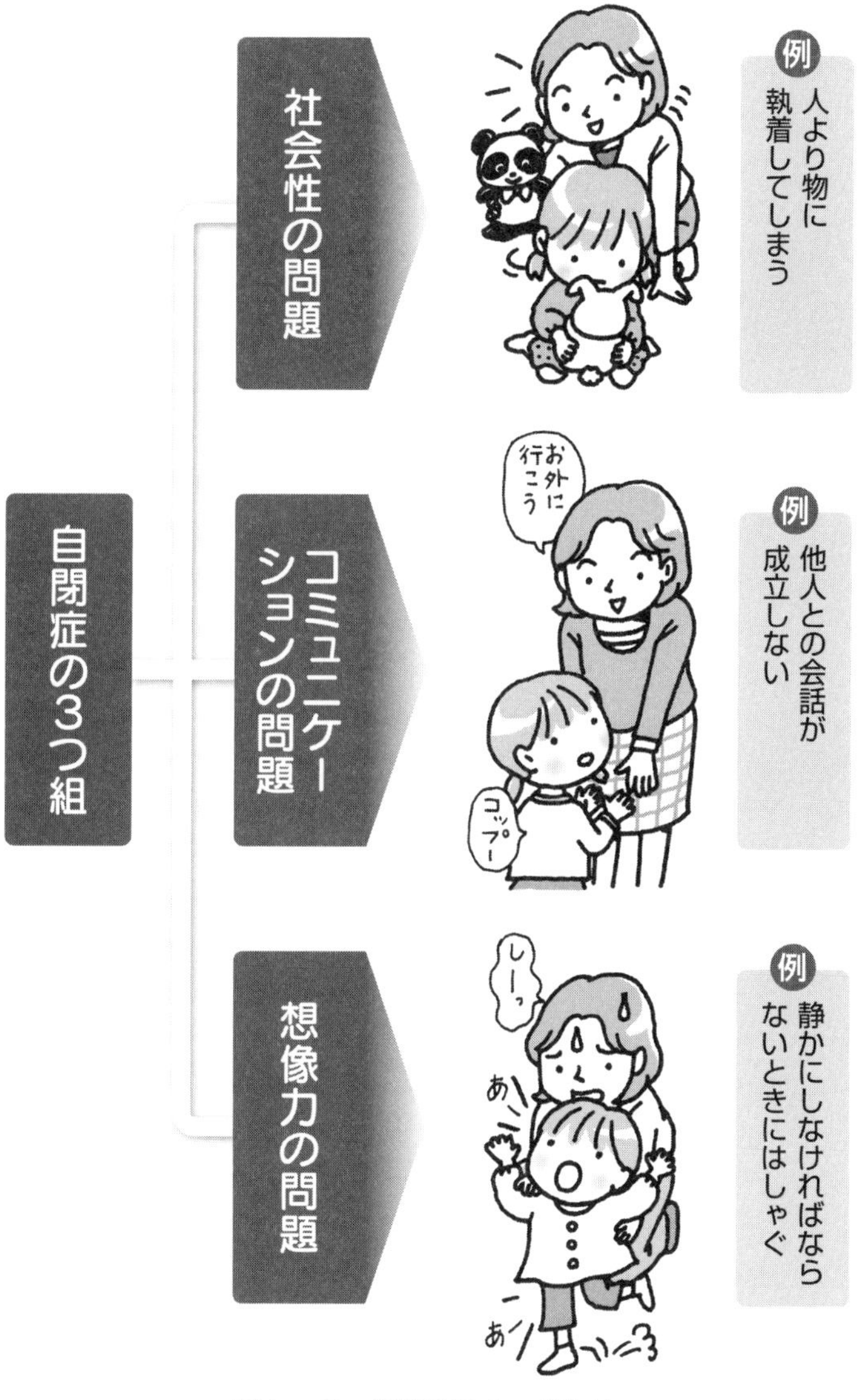

図１－３　自閉症の３つ組とは

識して行動することができないなどです。

「コミュニケーションの問題」とは、他人との会話や意思伝達がうまくできないことを指します。言葉の出ない自閉症では言語的なコミュニケーションの問題を抱えていることはもちろんですが、相手の表情を読みとれないなどの非言語的なコミュニケーションの問題を抱えていることが多いようです。ですから話す、聞くことはできても会話は円滑にできないなどのケースもでてきます。「想像力の問題」とは、この場面はおとなしくしていなければいけない場面なのか、遊んでもよい場面なのかが判断できない、「ごっこ遊び」がうまくできない、「空気が読めない」ことなどを指します。

「カナーの自閉症」の定義と「自閉症の3つ組」の障がい概念は、当然、重なる部分も大きいのですが、前者が言語を中心としたコミュニケーションの障がいを抱えていることを重視するのに対して、後者は言語に限定せず広いコミュニケーション障がいを対象にしています。そのため後者のほうが、自閉症として扱われる人がやや多くなります。

くわしくはあとから説明しますが、自閉症の症状は千差万別でその障がいの内容も広範に及びます。そのため、「カナーの自閉症」よりも「自閉症の3つ組」の障がい概念のほうが、実態に即し、かつわかりやすいので、特に教育や心理の世界では支持され、よく使われるようになってきました。

１９７０年代までは、自閉症は言語障がいに代表される知的障がいをともなうものと考えられていましたので、ウィングらの主張は、これまでの通説に一石を投じました。実際、言語障がいもなく、知能指数も高いにもかかわらず、他人とのコミュニケーションに障がいを抱えて、社会的にも不適応を起こす人が少なくないことが１９８０年代から国際的にも知られるようになってきました。

アスペルガー症候群も自閉症の一種

自閉症という障がい概念の見直しが進んでいた１９７０年代、ウィングは１９４４年（昭和19年）にオーストリアのハンス・アスペルガーによって発表された論文を〝再発見〟します。この論文には、知的に劣っているとは思えないのに会話がうまくつながらない、指示が通らない、友だちができにくい、友だちとうまく遊べない、一方で何かに集中しはじめると止まらないなどの症状を持つ子どもたちの症例が報告されていました。発表者の名前をとって、この障がいは、アスペルガー症候群と名づけられました。

知的な障がいはないけれどもコミュニケーションや行動の障がいがあるアスペルガー症候群は、従来の「カナーの自閉症」の中心的症状では説明が難しいものでした。この論文は画期的なものでしたが、ドイツ語で書かれていたことや、第二次世界大戦の敗戦国であった（発表当時はナチス・ドイツが支配していました）ことから、ウィングによって再発見されるまでは国際的には知られていませんでした。

さてわかりにくくなってきましたね。自閉症は知的な障がいによるものと考えられていたのに、知的な障がいを伴わないこともある？　それならいったい自閉症はいったいどんな障がいなのでしょうか。

ウィングたちは、自閉症スペクトラム障がい（Autism Spectrum Disorder：ASD）という包括的な概念を提唱しました。スペクトラム（spectrum）とは連続体を意味します。ウィングらは、自閉症は、一見全く別の障がいに見えるものであっても、「七色の虹」のように連続している障がいだと考えたのです。

この概念では、自閉症は知的な障がいを持つかどうかを問いません。さきにお話ししたアスペルガー症候群も自閉症スペクトラム障がいの中に含まれます。読者の中には、自閉症とはまったく別の障がいだと思っていた方も多いかもしれませんが、今ではアスペルガー症候群は自閉症スペクトラム障がいのひとつとみるのが主流になっています。

もっとも、自閉症スペクトラム障がいという表現よりは、わが国では広汎性発達障がい（Pervasive Developmental Disorders：PDD）という表現のほうが一般的かもしれません。

これはアメリカ精神医学会による診断・統計マニュアルＤＳＭ－Ⅲが１９８６年に発表され、その日本語訳が滋賀医大の高橋三郎先生たちによって１９８８年に出されたとき、ＰＤＤを広汎性発達障がいと訳したことに始まります。この分類名はその後のＤＳＭ－Ⅳ－ＴＲでも引き続き使用されていますし、１９９７年に発表された世界保健機構（ＷＨＯ）による国際疾病分類（ＩＣＤ－10）でも使用されています。わが国では精神や行動の問題についての診断は、これらのどちらかの分類規準に基づいて行われることが多いために、自閉症スペクトラム障がいよりは広汎性発達障がいの名称が特に行政や精神科では一般的です。おおまかには広汎性発達障がいも自閉症スペクトラムと同義であり、自閉症グループ全体の名称と考えて差し支えありません。

話がややこしくなりますが、ウィングたちは知的な障がいを伴わない自閉症に対して、アスペルガー症候群という呼び方をせず高機能自閉症（High Functional Autism Spectrum Disorder：HFASD）と位置づけました。これは、アスペルガー症候群という独立した障がいとして扱うと、自閉症とは関係のない障がいと誤解されるなどの医学的な混乱を招く恐れがあるからです。

知的な障がいを伴わない高機能自閉症については、ＤＳＭ－Ⅳ－ＴＲではアスペルガー障がい、ＩＣＤ－10ではアスペルガー症候群という診断名があります。しかし高機能自閉症とアスペルガー症候群（障がい）の定義は細部で異なります。たとえばＤＳＭ－Ⅳ－ＴＲもＩＣＤ－

10も言葉の発達に異常がないことを診断基準に入れているために、言葉の遅れがある症例では、アスペルガー症候群とは診断されません。

そのため、言葉の遅れ以外は臨床的にはアスペルガー障がい（症候群）とほとんど変わらない症例であっても、分類不能の広汎性発達障がいや非定型の自閉症と診断される場合が多いという問題が出てきました。こうした事情もあり、最近は、マスコミをはじめとしてアスペルガー症候群の使用を控えて、高機能自閉症という診断名を使用する傾向が強まっています。

このように自閉症の定義や呼称については、医学界でも混乱があります。統一されたルールがあるわけではありませんから、本書に限らず、自閉症や発達障がいを取りあつかった本を読む際には、こうした点を留意して読み進める必要があります。これまで説明したことを簡潔にまとめると、次のようになります。

- 自閉症にはカナーの報告、ウィングによる基準がある
- 自閉症およびその周辺の障がいをまとめた考え方として、自閉症スペクトラム障がい、広汎性発達障がいという言葉がある
- 自閉症には、知的障がいを伴うもの（単に「自閉症」と呼ぶ）と、知的障がいのない高機能自閉症がある

どうでしょう。なんとなく整理できましたか。このように自閉症グループは知的障がいを伴うものから、知的障がいのない高機能自閉症まで対象は幅広く、医師や研究者によって、「自閉症」という言葉の使用法も微妙に異なります。

ひとつ注意しておきたいことがあります。ひとくちに「自閉症」といっても、自閉症スペクトラム障がい全体を意味している場合と、言葉の遅れを伴い、知的な遅れが疑われる群を限定して指す場合があります。自閉症グループの中で、知的に異常がない、あるいは異常が明らかではない場合には、高機能自閉症と呼ぶことはお話しした通りですが、知的障がいのある場合にはこれを低機能自閉症とは呼ばず、単に「自閉症」といいます。差別的表現であるということが理由であると思われますが、そのことも「自閉症」の解釈をわかりにくくしています。

本書では、特に断りのない限り「自閉症」は、言語に遅れがあって、主に幼児期に発見される自閉症を指し、知的障がいを伴わない、あるいは明らかではない自閉症は「高機能自閉症」という言い方をします。ただし、厳格な使い分けが難しい場合もあるため、「自閉症」を、全般を指す言葉として使用する場合もあります。

自閉症スペクトラム障がいがきわめて広範な障がいを包括するために、診断基準や用語の使い方に「揺れ」があることはご理解いただけたと思います。医学者や研究者の間でも、障がいの基本的な認識において、これだけ違いがあることに驚かれた方も多いでしょう。

では、すべての自閉症に共通する「自閉」の本質は何なのか。これについては多くの見解がありますが、私は自分の感情を他人に伝える、他人の感情を理解してうけとめる、他人と感情を共有するなど、感情の授受がうまくできないことではないかと思っています。すなわち、自閉症は、言語をつかさどる脳の障がいというよりも、感情の授受がうまくできない脳の障がいであり、その結果として言葉をうまく扱えないという症状が現れると考えるのです。感情を伝えたい、理解しようという気持ちがなければ、意思疎通のツールである言語を習得することは容易ではありません。仮に訓練によって言葉を使って伝えることができるようになっても、感情の授受という障がいは依然として残るので他人とのかかわりの面では、うまくいかないことが多いということになります。

発達障がいという概念

自閉症という障がいを知る上で、もう一つ覚えていただきたい言葉があります。最近わが国でも話題になっている「発達障がい」という言葉です。この言葉も定義が明らかではなく、歴史とともに使われ方が変わってきたこともあって混乱を招いています。

実は、自閉症も「発達障がい」の一部として位置づけられています。発達障がいは、行動やコミュニケーションをも含んだ障がい全般を対象とするので、前にお話しした自閉症グループの名称としての自閉症スペクトラム障がいや広汎性発達障がいよりは広い概念です。
私は発達障がいとは「発達の過程で明らかになる行動やコミュニケーション、社会適応の障がいで、根本的な治療は現時点では存在しないものの、適切な対応により社会生活上の困難は軽減される障がい」だと考えています。
発達障がいの中には、最近話題になることも多いＡＤＨＤとＬＤも含まれています。ＡＤＨＤは、Attention Deficit/Hyperactivity Disorderの略で、日本語訳では、注意欠陥・多動性障がいと呼ばれています。ＡＤＨＤは、発達障がいの一つに位置づけられ、忘れ物が多い、集中力が続かない、じっとしていられないなどの症状が代表的です。

ＡＤＨＤの臨床的な診断は３つに分かれます。忘れ物が多い、作業を途中で投げ出してしまうなどの不注意の症状が中心であれば「不注意型」、会話や集団行動ですぐに割り込む、飛び出すなどの衝動性と、じっとしていられない、動き回るなどの多動の症状があれば「多動・衝動型」、両方あれば「混合型」となります。これらの症状が６ヵ月以上続いていることと、社会生活上の障がいになっていることも診断の条件です。

ＬＤ（Learning Disorder, Learning Disability）は、日本語では学習障がいと呼ばれます。ＬＤは、まだ学習の始まっていない幼児期に発見されたり問題になったりすることは多くはありません。読み、書き、算数の障がいが代表で、文部科学省では小学校低学年では１学年以上、高学年以上または中学では、それぞれに2学年以上の遅れがある場合に学習障がいを疑うことになっています。ですからわが国では、早期発見というより、遅れをきっかけにして発見される場合が多いことが問題点です。その他にも図形のイメージが理解できない、漢字は読めない、書けないけれども、ひらがなとカタカナにはまったく問題がないなどの特殊な学習障がいもありますが、やはり背後に知的な障がいがあれば診断は知的障がいになります。

ADHDやLDについて詳しく説明すると、それだけで1冊の本になってしまうので、詳細は巻末の参考図書をご覧ください。

自閉症、ADHD、学習障がいは別々に定義されてはいますが、それらが合併することもあります（自閉症と学習障がいの合併がわかるのはおもに小学生以上です）。すなわち自閉症、ADHD、LDそれぞれの症状を併せ持っている子どもがいるということです。なおADHDや学習障がいは、知的能力や基本的生活能力には著しい困難を伴いません。したがって、知的な障がいを伴っている場合には、知的障がいと診断し、ADHDや学習障がいとは診断しないことになっています。ですからADHDや学習障がいを合併すると考えられるのは、知的障がいを伴わない高機能自閉症ということになります。

以上のとおり、自閉症やその周辺にある発達障がいの概念は、非常にややこしく、医師や心理職や教育関係者の間でもさまざまな誤解があるようです。図1－4に、広義の発達障がいに

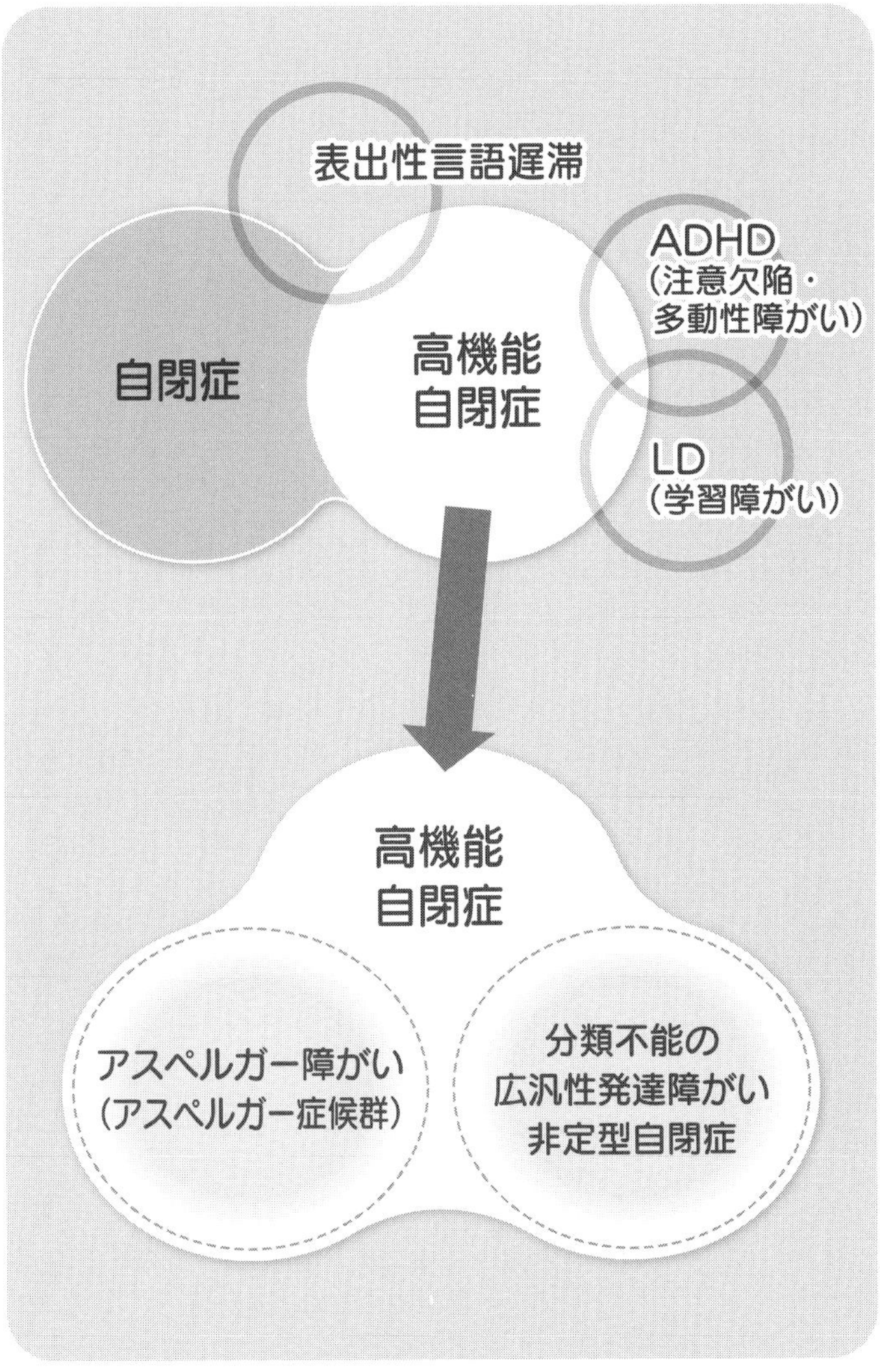

図1－4　さまざまな発達障がいの概念図

関連する概念を整理しました。

自閉症はまれな障がい？

「自閉症はまれな障がいですか？」という質問を保護者の方からよく受けます。私は「自閉症は決して特殊な障がいではありません」と答えるようにしています。

今から30年くらい前には自閉症の頻度は数千人に1人と考えられていました。しかし、現在では、自閉症スペクトラム障がい全体では、100人から150人に1人の発生頻度になっていると言われています。単純計算で、2クラスから3クラスに1人の自閉症児がいるわけですから、これはもうごくありふれた障がいといって構わないと思います。

つまり、この30年間で自閉症と診断される可能性が数十倍に高まっていることになります。なぜこのように自閉症児が増加しているのでしょうか。いくつかの理由が考えられます。

ひとつは、診断基準が整備され、それまで診断されなかった高機能自閉症の子どもや大人たちが自閉症と診断されるようになってきたことがあります。

そもそも、1970年当時は自閉症は知的な障がいを伴うと考えられていましたので、当時の自閉症には高機能自閉症は含まれていませんでした。しかし、先に説明したように1980

年代以降、自閉症の中に高機能群という知的な障がいを伴わない、あるいは明らかではない群があることが、明らかになってきました。昔の教科書などでは自閉症での知的な障がいの合併は75～１００％とされていましたが、現在では、高機能自閉症が増えた結果、知的障がいの合併は20～40％に低下していると考えられています。

愛知県の河村雄一先生たちが２００８年に報告した調査では全児童の１・８１％が「自閉症」と診断されて、そのうちの66・４％は知的な障がいのない自閉症でした。私が過去に５歳児を対象として行った健診でも結果はほぼ同様で、全体の約２％が広義の自閉症（自閉症スペクトラム障がい）と診断され、約半分にあたる１％が高機能自閉症と診断されました。言葉の遅れがあって知的な障がいを伴う自閉症はだいたい３００～４００人に１人ではないかと考えられます。なお理由はわかっていませんが、自閉症は男性が約３～４倍女性に比べて多いことも知られています。

このように自閉症患者が急増した背景には、高機能自閉症という新しい自閉症のカテゴリーが認知されたことが大きいと思われますが、これだけですべて説明することは困難です。なぜなら、この30年間で、知的な障がいを伴うと考えられる自閉症についても増加傾向にあるからです。

現在、世界各地で、自閉症の科学的な発症原因を探る研究が進められています。遺伝子の異常、環境の影響など、さまざまな要因が疑われています。しかし現在はまだ、なぜ「自閉症」になるのか、その原因は特定されていません。

兄弟や親子とも自閉症スペクトラム障がいと診断される場合があることから、遺伝子についても多くの研究があります。自閉症と強い相関のある遺伝子の変異についての報告も少なくありませんが、まだ自閉症が発生する理由を説明できるものはありません。

環境要因としては、ダイオキシンなどの大気汚染、ビスフェノールなどの内分泌撹乱《かくらん》物質の問題もあります（内分泌撹乱物質は、当初、環境ホルモンといわれましたが、正確さを欠くという理由で現在では使用されなくなっています）。このように自閉症との相関を調べる多くの研究が行われてきましたが、関連は明らかになっていません。

自閉症は親の育て方とは関係がない！

最初に自閉症が報告されたアメリカでは、１９５０年代から１９７０年代初頭までシカゴ大学のブルーノ・ベッテルハイムが唱えた、自閉症は「育て方」「母親の対応」によって引き起こされるという理論が支配していました。治療面でも遊戯療法、甘え療法、抱っこ療法などが勧められてきました。

これに対して、１９６０年代後半から、自閉症は脳の障がいであり、それに見合った対応をすべきであるという考え方がカリフォルニアのバーナード・リムランド、ノースカロライナ大学のエリック・ショプラーらによって提唱され、これが現在の通説となっています。今では母親の愛情面に力点をおいた療育法はすたれて、ショプラーやカリフォルニア大学ロサンゼルス校のアイヴァー・ロヴァースらが唱える行動療法などが中心となってきました。しかし「育て方」「母親の対応」という考え方を捨てていない人たちもいます。80年代後半から90年代始めのアメリカの状況を示した本としては『わが子よ、声を聞かせて』（キャサリン・モーリス著、山村宜子訳、ＮＨＫ出版）があります。興味を持たれた方にはぜひ読んでいただきたいと思います。この本にはロヴァースらの提唱する行動療法（ＡＢＡ）を実践した記録や、２歳から４歳までに行ったカリキュラムも書かれています。

長々と自閉症の定義について解説してきましたが、こうした基礎知識があれば、自閉症についての専門書や療育法についての理解も格段に進みます。最初はなかなか馴染めないかもしれませんが、徐々に慣れてくるはずです。次章ではどのような点に注意すれば、自閉症を早期発見できるかを解説します。

第1章のまとめ

①自閉症の定義

アメリカ人の心理学者のカナーが、1940年代に「自閉症」という障がいがあることを報告しました。当初は知的な障がいを伴うと考えられていましたが、現在では知的な障がいを伴わない高機能自閉症も多いことがわかってきました。アスペルガー障がい（症候群）も高機能自閉症の一種であるといわれています。

②自閉症スペクトラム障がい

自閉症の症状は多様で個人差が大きいことが知られていますが、「自閉症の3つ組」とよばれる特有の症状があり、連続している自閉症スペクトラム障がいであると考えられています（スペクトラムは連続体を意味します）。これは、少し前まで広く使われていた広汎性発達障がいとほぼ同義です。現在では自閉症スペクトラム障がいと呼ぶことが多くなりました。

第2章

わが子が自閉症かなと思ったら

自閉症を抱える子どもたちが増加しているということもあって、新聞や雑誌、テレビなどで自閉症が取り上げられる機会も増えてきました。そうした報道を目にした保護者の方が「自分の子は自閉症ではないか」と疑って、私のところへ連れてこられることもあります。実際に自閉症と診断する場合もありますし、自閉症を伴わない知的障がいという診断になることもあります。

乳児期にも自閉症発見の手がかりはある

一般的に、赤ちゃんは生まれて1週間から1ヵ月くらいの間に目を合わせることができるようになります。この時期の赤ちゃんは近視ですから25〜30㎝くらいがよく見える距離です。ちょうどおっぱいを飲ませているときの赤ちゃんの目と母親の目の距離が、だいたいこの距離になります。もしこの頃に目が合わなくても、自閉症と決めつけないでください。自閉症を伴わない知的障がいや視力障がいや、その他の脳の障がいでもおきることです。

しかも視線が合わないという症状は、乳児期の早い時期にはあまりはっきりとしません。私も生後4ヵ月を対象とした乳幼児健診で、1000人あまりの赤ちゃんを診察して目が合うか、合わないかを調べることで、自閉症の早期発見を試みました。しかし診断は困難でした。

乳児は、眠かったりおなかがすいていたりすると、視線を合わせてくれません。また、診断を行う場所や実施時間などの条件が一定でないこともあり、乳児を診察する状況にはばらつきがありました。結局、健診では自閉症児ならびその疑い例を発見できませんでした。長年、自閉症児を診察してきましたが、乳児期に目が合わないという訴えで自閉症が見つかったという経験は私にはありません。

しかし後に自閉症と診断された子どもたちのお母さんたちに、生後1〜2ヵ月の頃（個人差があるので3〜4ヵ月まで含めてもいいのですが）、視線を合わせることができたかどうか質問すると、「生後間もない頃から目が合わなかった」、あるいは「合いにくかった」というお話をよく聞きます。これ以外にも「いま思えば、笑顔がなかった」「表情にとぼしい」などの感想も耳にします。自閉症児のお母さんでもっとも多いのが、「振り返ってみると、何となく育てにくい子だった」という感想です。育児で長時間、赤ちゃんと接しているお母さんは、かなり早い段階から違和感を覚えるケースが多いようです（もっともほとんど手がかからない子だったと話されることもあります）。

普通の子どもは、生後9〜10ヵ月になると、両親の動作のまねをしたり、テレビを見て少し体を動かしたりするようになります。「それちょうだい」とか「バイバイ」とか、声をかけながらいろいろなジェスチャーを母親がすると、意味の理解はともかく、まねをすることが多くなります。しかし自閉症児の場合は、なかなかこうしたものまねをしてくれません。これも、あとから振り返ると「そういえば」という症状です。このほか、「特別の理由もないのに、いったん泣き始めるといつまでも泣き止まなかった」ことをあげる保護者もいます。

1歳ころの自閉症

歩行の開始は生後10ヵ月ころから1歳8ヵ月ころまでの間がほとんどですが、自閉症に限らず、知的な障がいがある場合にも歩行の開始はやや遅れることが多くなります。

言葉にならないけれども、1人でブツブツ言っている、あるいは声を全く出さないなども、自閉症児にしばしば見られる症状です。多くの子どもたちでは、1歳ころになると、笑ったり、怒ったり、悲しんだりと、さまざまな表情を見せ、主に母親の表情によく反応するようになるのですが、自閉症児の場合は、表情がとぼしいといわれます。視線が合わない、目を合わせようとしないという症状も、1歳になるとはっきりとわかるようになります。カメラで写真を撮るときに、カメラ目線になっていないということもよく言われます。

そばに母親がいても興味を示さず、積み木などのおもちゃ遊びに熱中しているなど、人に対する関心がうすいことや、身振りなどのまねをしないこともこの時期にはしばしば見られま

図2－1　自閉症児は意味なくピョンピョン飛び跳ねるなどの常同行動が見られる

す。

歩き始めたけれども、いつもつま先で歩いていて、ピョンピョン飛び跳ねるような行動（図2－1）がしばしば入るという報告もあります。このように周囲からは何のために行っているのかが分からない繰り返し行動のことを常同行動といいます。

自分で動けるようになると、言語による要求ができないので、「クレーン現象」が見られるようになってきます（図2－2）。たとえばジュースが飲みたいときに、母親の手を引っ張っていき、冷蔵庫の前に連れていくといった具合です。また自分の興味や要求を伝える「指差し」をしないこともしばしば報告されます。

1歳前後では、自発的に単語を話す子は多くはありませんが、母親の話す単語をものまね（オハヨウがオハヤウ、オハヤオになることも多いのですが）

図２－２　自閉症児はうまく言葉で伝えられないので、何かたべたいときに、母親の手を引っ張って冷蔵庫の前に連れて行くことがある

をしたり、「おいで、バイバイ」などの言葉に反応したりするようになります。自閉症児の場合は、こうしたことがうまくできないことが多いようです。以上のような兆候は、自閉症を伴わない知的障がいの場合にも見られます。

言葉の遅れがある場合

多くの子どもたちは１歳６ヵ月ころには、まわりの人が理解できる単語をいくつかしゃべるようになります。しかし、自閉症児はなかなか意味のある言葉を話すことができません。これを自発言語の遅れといいます。

言葉の遅れを発見するためには、自発言語（しゃべる）だけではなく、理解（わかる）についても評価する必要があります。１歳６ヵ月ころの言葉の理解は、絵本などで知っているものの名前を保護者が言うと指差す、言葉による簡単な指示に従うなどのテストで評価できます。たとえば「帽子はどれ？」とたずねると指差したり、新聞を指差し「あれ取って」と指示すると、持ってくるなどです。

言葉に遅れがある場合に、医師が通常考えるのは次の４つの疾患（障がい）です。

●知的障がい（自閉症を伴わない）
●難聴
●表出性言語遅滞
●自閉症

まず自閉症以外の３つについて簡単に説明しましょう。

自閉症を伴わない知的障がいでは、言葉をしゃべることも理解することも遅れを伴います。しかし自閉症の合併があるかないかの判別は困難です。幼児期に特徴的な自閉症の症状が見受けられる場合には、「自閉症の疑いがある」との診断を下しますが、この年齢では単なる知的障がいなのか自閉症なのか迷うこともあります。

難聴では自発言語も言葉の理解も遅れます。最近は、新生児を対象にした聴覚スクリーニング検査（AABRなどの機器を用いて聴力を検査する方法）が広く行われるようになり、早期発見が可能なりました。

難聴に自閉症が合併している場合も、まれに存在します。こうした症例は、聴力を補聴器や手術などによって改善しても、言語の習得は遅れます。成長するにともない、自閉症特有の症状が見られるようになると、「自閉症」と診断されます。

難聴がある場合には自閉症の診断が遅れがちです。言葉への反応だけではなく、音そのものへの反応が悪いことは自閉症児にもよくあるため、なかなか判別できないからです。

表出性言語遅滞とは、言葉の理解は可能でも、言葉をしゃべることがうまくできないという障がいです。この場合には言葉の理解だけではなく、動作や表情の理解もできることが多いので、自閉症と区別することは十分可能です。しかし、実際には知的な障がいがない、あるいは程度の軽い自閉症との区別が困難な場合もあります。

表出性言語遅滞の場合は、放っておいてもいずれは言葉をしゃべるようになると考えられていましたが、小学校に入学する年齢になってもしゃべるようにならない場合もあり、やはり状況に見合った対応が必要になります。言葉の理解はある程度できていることが多いので、言語訓練や、絵カードを使うなどの方法でコミュニケーション能力を身につけるなどの方法が中心になります。あとから説明する自閉症の療育の応用によって言葉が出てくる場合もあります。

さて自閉症ではどうでしょうか。言葉の遅れをきっかけとして発見された自閉症は、放っておいても言葉の能力が追いつくのでしょうか？　私は現在のような療育方法のなかった時代から自閉症の子どもたちを診てきました。確かに特に対応しなくても、自然に言葉を話せるようになる自閉症児もまれにいます。しかし、その多くは言語理解が比較的良い場合ですし、後に高機能自閉症と診断されることが少なくありません。

しかし、初診の時点で言語理解が十分ではない場合は、放っておいて言葉が自然に出てくることはとても少ないですし、自閉症と診断され、何もしないで7歳を過ぎて言葉が突然出始めることはきわめてまれです。また、1歳6ヵ月ころには、3つ、4つと単語が出ていたのに、2歳ころまでにその単語が消えてしまうこともあります。これは、しばしば見られる現象で、いったん伸びてきたものが、線が折れるように発達が少し後戻りをしていくということから「折れ線型の自閉症」と呼ぶこともあります。小児期崩壊性障がいと呼ばれることもあります。

では幼児期に自閉症と診断され、言語理解が十分ではなく、自発言語がない場合は、「回復の余地はない」とあきらめるしかないのでしょうか。

何も手だてがないのであればあきらめるしかありませんが、100%有効とはいえないものの、一部の自閉症児には著しい効果がある療育方法が開発されています。早期の適切な療育によって、言葉の理解が進み、自発言語を獲得する子どもたちがいる、これが最近の進歩です。

医師はどのように診断するのか

自閉症を疑う際の典型的症状をいくつか紹介してきましたが、医師は何を手がかりにしているのでしょうか。

自閉症にはいくつかの診断基準が存在します。いずれも5歳くらいになれば十分に使用可能ですが、それ以前は、ほとんど役に立ちません。DSM－Ⅳ－TR、ICD－10をあてはめても2歳の自閉症を診断することは困難ですし、「自閉症の3つ組」を見極めることも困難です。特に言葉の遅れを伴わない高機能自閉症は、幼児期には手がかりすらない場合もあります。もちろん幼稚園や保育園で友だちとうまくいかない、パニックを起こすなどの問題から診断がつく場合もありますが、多くはありません。高機能自閉症と診断された子どもたちが実際にいろいろな社会生活上の困難を抱えてくるのは小学校入学以降が多くなります。

アメリカ小児科学会ではM－CHAT（Modified Checklist for Autism in Toddlers）などの検査を幼児期の健診でも行ってみることを勧めていますが、わが国では一部の地域を除いてあまり使われていません。M－CHATは日本語版が国立精神・神経センターのホームページで公開されています。M－CHATは、発達、動作、模倣、興味などを含む23項目の質問で構成されており、3項目以上の不通過で疑うことになっています。下関市など応用している自治体もあります。

幼児期の早期診断は医師の経験による部分が大きいといわれます。私自身の場合でも、医学的診断基準や各種テストはあくまでも補助的なもので、子どもを注意深く観察していると自閉症の特徴がよく見えてきて診断にいたることが少なくありません。私の場合は、以下のような症状に注目して、診断をつけます（図２－３）。

●意味のある単語を話さない　●声を出さない　●協調運動がうまくできない
●視線が合わない　●クレーン現象がある　●人に興味を示さない
●常同行動がある　●指差しをしない　●感覚過敏がある
●表情の変化が少ない　●物を並べることにこだわる　●笑顔が出ない
●スイッチのオンオフや扉の開け閉めにこだわる

自閉症児によく見られる感覚過敏とは、動き回っていて何かに触ったときに急に手を引っ込めて、二度と触ろうとしないとか、身体に触れられるのを嫌う、服や靴下を脱ぎたがる、音に敏感、砂や粘土に触るのを嫌がる、偏食がひどい、などです。協調運動がうまくできないとは、歩き方や走り方がぎこちない、転びやすい、ボールなどをうまく扱うことができない、な

意味のある単語を話さない

視線が合わない

常同行動がある

表情の変化が少ない

笑顔が出ない

声を出さない

図２－３　幼児期の自閉症を発見する手がかり　その１

クレーン現象がある

決まった順序で物を並べることにこだわる

感覚過敏がある

スイッチのオンオフや扉の開け閉めにこだわる

協調行動がうまくできない

他人と目を合わすことができない

図２－３　幼児期の自閉症を発見する手がかり　その２

どを指します。言葉の遅れに加えてこれらの症状があれば、自閉症を疑いますが、点数化して診断するという方法でもないので、自閉症という診断がつくかどうかは受診した医療機関や医師次第ということになります。

典型的と思われるような場合には10分程度で診断ができることもありますが、1回診察しただけでは迷って診断がつかず、再度診察して診断することもあります。しかしあとでもお話ししますが、大切なことは診断を下すことではなく、保護者の方と一緒になって問題解決に何ができるかを考えることです。受診されている以上、子どもは何らかの問題を抱えているわけですから、それが言葉を含めたコミュニケーションの問題であっても、感覚過敏の問題であっても、それらにどう対応すればよいかを考え、それを保護者の方にお伝えすることです。

もちろん、診断することに意味がないわけではありません。診断することによってその後の対応の道筋を考えたり、診断に基づいて将来の困難を予測し、対応を考えたりすることが可能になります。しかし、診断は単に「何をするか、何を考えていくか」のための「スタート」で、決して「結論」ではありません。

いずれにせよ、自閉症は、子育て中の保護者が気づくよりも、乳幼児健診の場や小児科での診察、幼稚園や保育園などの集団の場などで疑われることが多くなります。もっとも多いのは乳幼児健診の場だと思われます。これについては第3章で説明します。

アメリカの小児科学会では

最近では、子どもたちを最初に診る小児科医が自閉症にもかかわっていくべきであるという考え方が国際的にも広がってきており、アメリカの小児科学会では自閉症のスクリーニングや対応について、ホームページの中でもくわしく説明しています。アメリカやカナダの小児科医が積極的にかかわるという姿勢を明らかにしたことが契機になり、アメリカの一部の州では、従来は保護者たちの自費負担で行われてきた自閉症の個別療育を公的支援する動きが出ています。ウィングらの主張も広く受け入れられるようになり、アメリカ小児科学会ホームページでの表現も広汎性発達障がい（ＰＤＤ）から自閉症スペクトラム障がい（ＡＳＤ）に変わりました。

第2章のまとめ

①幼児期早期の自閉症は、言葉の遅れで発見されることが多い

自閉症を疑う症状の第一は言葉の遅れです。ただし、乳児期にはまだ言葉を話したり、理解したりすることができないので、後から振り返って、そういえばという症状が現れていることもありますが、自閉症と診断されることはまずありません。幼児期になって言葉の遅れが見られる場合には自閉症以外にも難聴、知的障がい、表出性言語遅滞などがあり、対応が異なりますから、たとえ自閉症の確定診断が得られないとしても気になる症状があれば遠慮せず、医療機関に相談にいきましょう。

②幼児期の自閉症には特有の症状がある

言語の遅れ以外にも、次のような幼児期の自閉症に特有の症状があります。

・視線が合わない
・クレーン現象（例　お腹がすいたことをうまく伝えられないので、冷蔵庫の前まで母親の手を引いて連れていく）
・常同行動（ぴょんぴょん飛び跳ねるなど特定の動作を繰り返し、その動作が周囲からは何のために行っているかが理解できないような行動）

・親のまねをしない

以上のような症状が自閉症を疑う手がかりになります。実際にそうした症状から親が自閉症を疑って子どもを病院に連れてくるケースもあります。

第3章

乳幼児健診でどこまでわかるの？

わが国では母子保健法第一二条で、乳幼児健康診査（健診）がすべての市区町村に義務付けられています。条文に明記されているのは1歳6ヵ月児健診（1歳6ヵ月から2歳未満）と3歳児健診（3歳から4歳未満）の2つです。このほかに乳児一般健康診査を生後3～4ヵ月と9～11ヵ月に行うことなども勧められています。

第2章でもお話ししたように乳児期に自閉症を早期発見するのはきわめて困難です。実際に自閉症の疑いが持たれるのは1歳6ヵ月児健診と3歳児健診が中心になります。これまでは3歳児健診で疑い事例が発見されることが多かったのですが、最近では1歳6ヵ月児健診で言葉の遅れが発見されて、はじめて自閉症が疑われるケースが増えてきました（図3－1）。

1歳6ヵ月児健診で発達障がいを疑う手がかり

多くの市区町村では、これらの法定健診を、住民に事前に通知したうえで実施しています。健診通知をもらって気軽に健診に出かけたら、「自閉症の疑いがあります」――いきなり健診会場で医師からこう宣告されることは少ないと思います。しかし、医師の口から「発達についてよく調べましょう」「発達について気になることがあります」などの表現が出てきたら、自閉症や知的な遅れの疑いを持たれたというサインかもしれません。

1歳6ヵ月児健診　法定健診。この頃になると、約8割が自発言語として単語を5語以上話せるようになる。非言語的コミュニケーションの障がいを発見するのは困難

3歳児健診　法定健診。この頃になると、「ジュース飲みたい」のような2語文が話せるようになる。非言語的コミュニケーションの障がいについても発見しやすくなる

5歳児健診　法定健診ではなく、導入しているのは一部の自治体に限られる。高機能自閉症やADHDなどの発達障がいを発見するのが目的だが、現実には困難も

就学前健診　小学校入学前に通常学級に就学できるかどうかを確認するために行われる。特別支援学級や特別支援学校への就学を勧められることもある

図3－1　健診で自閉症の疑いが指摘される可能性がある

生後1歳6ヵ月は、発達が質的に変化してくる時期です。この頃は、1人で歩けるようになり、従来よりも視線の位置が高くなります。目に入るものが変わるとともに、物を立体的に見ることもできるようになります。

この頃になると、積み木を積む、小さなものをつまむ、つかむなど微細な運動も可能になり、スプーンやおもちゃなど道具を使えるようになります。乳臼歯が生えてくるので、それまでのように噛み取るだけでなく、口の中ですりつぶすことができるようになります。

1歳6ヵ月にもなれば多くの子どもたちは単語を話せるようになります。1歳6ヵ月健診の時点で自発言語として単語を5語以上しゃべる子は、女児で90%、男児では85%程度に達します。男女差は5%ほどありますが、少なくとも

8割は単語を話せるわけで、この時点で「話せない」というのは、自閉症を疑ううえで重要な判断材料となります。実際、健診でも言語能力の診断はもっぱら単語を5個以上しゃべるかどうかだけで判定しています。

1歳6ヵ月健診では、言語的なコミュニケーションの発達だけではなく、非言語的なコミュニケーション能力の評価が欠かせません。それは表情や身振りなどへの反応の有無がその後の発達の経過を見るためにも重要だからです。しばしば自閉症では言語的コミュニケーションの遅れよりも非言語的コミュニケーションの遅れのほうが大きいと言われます。自閉症に詳しい医師の中には健診の際に、子どもの表情や行動を細かくチェックしている人もいます。

しかし、実際には非言語的なコミュニケーションの遅れを正確に評価することは簡単ではありません。現実には、健診では非言語コミュニケーション能力についてはほとんど調べられていません。非言語的なコミュニケーションの評価が簡単にできるようになれば、知的障がいのない高機能自閉症も含めて自閉症全体の早期発見の率は高くなる可能性がありますが、残念ながら現状ではそこまでにはなっていません。

「様子を見ましょう」と言われたら

１歳６ヵ月児健診では、一般的には、しゃべることができない、しゃべる言葉が少ないことなどが、自閉症を疑う手がかりになります。そのほかに視線が合わない、ピョンピョン飛び跳ねるなどの常同行動から自閉症を疑われることもありますが、経験上、それらだけを手がかりにして診断されることはそう多くはありません。仮にそのような兆候があっても、常同行動だけで診断が下されることはなく、後日言葉を含めた全体的な発達のチェックを受けてもらい、あらためて自閉症かどうかを診断されることが多いようです。

幼児期の自閉症を診断できる施設が少ないこともあり、自閉症の疑いを持たれても「様子を見ましょう」という判断で療育の機会が先に延びてしまうこともあります。当然のことですが、様子を見ているだけでは、普通は何も変わりません。１歳６ヵ月児健診で言葉の発達が遅いと言われた際に、その後どのような対応をとるかによって、子どものその後の発達に大きな差が出てきます。

言語の遅れを抱える自閉症では、療育を開始する時期が早いほどプラスの効果を与えやすいことがわかってきています。しかし、残念ながら一般的な保健職や医療従事者の間では、こうした情報は浸透していません。早期に自閉症の疑いありと診断されながら、適切な療育も行われることもないまま、「経過観察」という名目のもと、何もされないで時間が過ぎていくことがあります。

3歳児健診で自閉症を疑われた時の注意点

次に3歳児健診（図3－2）について考えてみましょう。3歳は、社会的な発達が顕著に現れてくる時期です。保育園に通っている子どもの場合でいえば、家庭内だけの人間関係から園児や保育士なども含めて家族以外の人間とのつながりができるようになってきます。あいさつができるようになり、してはいけないこと、ほめられることもわかってきます。してはいけないことをしたときに目をそらす、隠すなどの行動も出てきますし、親にほめてくれと要求したりもします。自我の意識が出てくることにより、自分と他人の区別がはっきりしてきて、外に出たい、新しいおもちゃがほしいなどの要求もできるようになります。

この頃になると、社会的な発達の遅れから自閉症を疑うことができるようになります。健診の場で指示に従わない、泣いてばかりいて母親の側を離れない、部屋の隅で固まってしまうなどの状況から自閉症を疑われることもあります。

言葉の面ではどうでしょうか。3歳になれば単語だけではなく2語文（ジュース飲みたい、パパ帰ったなど）を話すようになりますし、自分の名前や年齢が言えるようになってきます。これらができないとやはり自閉症が疑われます。

図３－２　３歳児健診で自閉症が発見されることも多い

３歳児健診では、このような言葉によるコミュニケーション能力の評価に加えて、表情や身ぶりなどの非言語コミュニケーションの理解力、健診会場での立ちふるまいの評価などを含めた全体的な発達状況のチェックが行われます。健診の結果、何か問題があると、専門医や心理職と面談が行われたりします。

３歳になれば１歳６ヵ月児に比べれば、非言語的コミュニケーションや対人関係の評価も容易になり、表情の理解や場面の理解、他の子どもと遊ぶかどうかなどで可能になってきます。ですから自閉症の診断も、健診の場はともかくとして、その後の相談や診察ではつけやすくなります。

自閉症の疑いを持たれた子どもは、通常、発達検査を受けるよう指示を受けます。くわしくはあとから説明しますが、この発達検査が重大な問題点をはらんでいます。発達検査で知能の遅れが認められれば、知的障がいと判定され、「将来にわたって発達の改善はむずかしい」と決めつけられてしまう危険性があるのです。すなわち早期診断＝早期絶望です。

しかし、知的障がいを伴う自閉症と診断されても絶望することはありません。健常な児童とまったく同じというわけにはいかないかもしれませんが、適切な療育が行われることによって、自立して生活できると思えるほど成長するお子さんもいます。この問題については第6章でくわしく解説します。

5歳児健診が広がっている

最近広まりつつある5歳児健診にも少し触れます。近年、5歳児健診を導入する地方自治体が増えてきました。多くの自治体では3歳児健診以降、小学校入学時に行われる就学時健診まで健診がありません。この間には子どもたちが体も含めて大きく成長するので、5歳時に新たな健診を行って、病気や障がいを早期発見しようというわけです。背景には、近年、社会問題となっている発達障がい児を早期発見したいという自治体の思惑があります。自閉症を含む発達障がいを抱えていると小学校入学後に学校生活での問題を抱えやすいので、入学前に見つけて何らかの対策をとろうということです。すでに鳥取県や栃木県、埼玉県などの一部の自治体が5歳児健診を導入しており、他の都道府県にもこれに追随する動きがあります。健診ではなく、相談として行っている地域もあります。

5歳で発見される自閉症（自閉症スペクトラム障害）は、言葉を話す・聞く能力には問題のないものの、他人とのコミュニケーションに障がいのある高機能自閉症（さきに話したようにアスペルガー症候群とほぼ同じです）が中心です。日常会話では相手の目を見て話す、相手の表情や声のトーンに反応して対応を変えるなどの非言語的なコミュニケーション能力が必要ですが、高機能自閉症と診断される子どもたちは、これが苦手であることが多いようです。

1歳6ヵ月児健診や3歳児健診と異なり、5歳児健診では言葉の遅れよりも、言葉を話すし理解もできるが会話が上手にできない、落ち着いていられない、衝動的な行動がある、友だちができない、友だちとのトラブルが多いなどがチェックポイントになることが多いようです。保護者や教育関係者からも期待されている5歳児健診ですが、一方でさまざまな問題を抱えています。1歳6ヵ月健診や3歳児健診にくらべると格段に異常が発見しやすいとされますが、5歳児健診の場で高機能自閉症やADHDなどの発達障がいを正確に診断することは容易ではありません。それは日常生活を離れた健診という場で短時間で行われるスクリーニングには限界があるからです。

もう一つの問題は、自閉症や発達障がいを早期発見したとしても、適切な対応を行うことができる社会資源（医療機関や相談機関、療育機関、教育機関などの施設や、療育に対する医学・教育学的研究や知識）が不足しているために、早期発見はしたもののそのまま小学校入学まで放置される（様子を見る）可能性がある、ということです。

私はたとえ自閉症を早期発見できたとしても、その後に「どのように対応するか」までの流れを決められなければ、健診を行うことの意味がないと考えています。何の対応もしないまま自閉症や発達障がいの診断をつけて放置し、保護者に障がいの存在を伝えて絶望させるだけならば「しないほうがまし」だと思っています。

しかし、実際には発達障がいが社会的にも話題になっていることや、市区町村にとって健診は住民サービスの充実をアピールする格好の場ともなることから、5歳児健診が広がりつつあります。

療育について知っている医師は少ない

さきに話したように乳幼児健診などの場で、言葉の遅れがあり、視線が合わない、クレーン現象があるなどの症状があれば、発達に何らかの問題があると考えられ、後日の相談や発達検査、専門医の診察を受けることになります。

多くの場合、自治体での相談業務に当たるのは保健師や心理職です。生活状況や発達歴も含めた聞き取り調査が行われ、発達検査（詳しくは66ページで解説します）が実施されることが一般的です。心理職には臨床心理士や臨床発達心理士などがありますが、わが国では心理職は国家資格ではないため、多くは非常勤で保健センターなどに勤務しています。

保健師や心理職は医師ではないので診断を下すことはできません。ですから相談や発達検査の結果の伝え方があいまいになったり、自閉症の疑いがあることだけしか伝えられなかったりするため、保健師や心理職と相談しても保護者がかえって不安になるような場合もあります。しかし、幼児期から思春期まで子どもの発達やこころの問題に対応するときに心理職の果たす役割は、きわめて大きいものがあります。残念ながらわが国では、諸外国に比べて心理職の必要性の認識も、その社会的地位も高いとはいえません。

専門医の診察は、基本的には小児神経専門医や児童精神専門医の診察が望ましいのですが、どちらも数が少ないので、一般の小児科医などが行っている場合が多いようです。

日本小児神経学会のホームページには、発達障がい診療医師（私も入っています）の一覧リスト（図３－３）が公開されています。リストではそれぞれに医師の専門分野がわかるようになっているので、広汎性発達障がい（自閉症）に○のついている医師ならば診断可能です。

これ以外にも、児童精神科を標榜している医療機関や医師ならば診断できるかと思います。

病院名	1.広汎性発達障害（自閉症）	2.AD/HD	3.LD	4.知的障害	5.言語発達障害	6.トゥレット障害	7.心身症	8.被虐待児
○○大学病院小児科	○	○	○	○	○	○		
××こどもクリニック	○	○	○	○	○	○	○	○
△△脳神経外科小児脳神経外来	○	○	○	○	○	○		○
□□総合病院小児科	○	○	○	○	○	○	○	○
※※子ども病院	○	○		○	○	○		
◎◎医科大学神経精神科・心療内科				○				

図3－3　日本小児神経学会のホームページでは、発達障がいの診療を行っている医師と医療機関名とその専門分野がわかるリストを公開している　http://child-neuro-jp.or/visitor/sisetu2/images/hdr/hattatsulist.pdf

自閉症の専門医は、大都市およびその周辺に集中しており、地方にはあまりいません。そのため、身近に専門医がいないことが診断や対応遅れにつながることもあるようです。

こうした状況を考えると、自分の子どもの言葉の発達が遅いと保護者が感じたときには、黙って見ているのではなく、積極的に情報を集め、対応を考えることが必要です。待っているだけでは、与えられる情報しか得ることができません。

自閉症療育はまだまだ知られていない

わが国での問題の一つは、自閉症がありふれた障がいになっているということが小児科の世界ですら十分には理解されていないことです。

子どもを乳幼児健診などで最初に診るのは小児科医です。しかし自閉症の診断にしても、療育の知識にしても、現状は、たとえばアメリカと比較すると大きく立ち遅れています。第2章のコラムにも書きましたが、アメリカでは、子どもたちを最初に診る小児科医が積極的に自閉症にかかわっていくべきだという考えが主流になりつつあります。実際、アメリカ小児科学会のホームページ（http://www.aap.org/）の中でhealth topicsを検索するとすぐに自閉症（autism）が出てきますし、そこから診断や治療の情報にたどりつくことができます。しかし日本小児科学会のホームページからは自閉症の情報にはたどりつけません。私も30年以上日本小児科学会の会員ですが、私自身も含めて、自閉症を専門とする医師は、一般の小児医に対して自閉症についての情報や療育法をもっと積極的に発信していく必要があったと思いますし、これまでの反省も含めてこれからも努力していきたいと思っています。

残念ながら、わが国の現状はこのような状態ですから、せっかく早期診断できた症例でも、その後の療育や対応についての情報が十分に得られず、本来なすべき療育が行われることもないまま放置されるケースが少なくないのが現状です。

自閉症がありふれた病気であることを「知る」ということが、いかに重要なのか、インフルエンザを例にとって考えてみましょう。インフルエンザが流行し始めると、それが新型であっても季節性であっても大きく取り上げられます。なぜなら、患者も医師もインフルエンザがきわめて高い感染力を持つ病気であることを知っており、その流行に常に関心を持っているからです。実際、インフルエンザの流行状況は国の研究機関が定点観測しており、一度感染拡大が確認されれば、発表や報道を通じて情報はまたたく間に広がります。

それでは自閉症はどうでしょうか。過去30年あまりで自閉症が十倍以上にも急増しており、いまや「身近な」障がいになっていることは説明しましたが、驚くべきことに医師であってもこうした基本的な情報を十分には知りません。専門家ですらこのような状況ですから、一般にはどこか遠くの世界のことだと感じている方も多いと思います。診断は疑うことから始まります。自閉症の障がいを抱えている子どもが多いということがわかっていなければ、保護者が子どもを病院に連れていくこともないでしょうし、医師も自閉症を積極的に疑うことも少なくなり、正確な診断を下しにくくなります。

インフルエンザの話に戻りましょう。たとえば熱のある子どもを医療機関に連れていって検査をし、インフルエンザと診断されたあとで、そのまま帰されたとしたら、多くの人は気分を害するでしょう。それは、副作用の問題はあるものの、タミフルやリレンザなど有効性の高い抗インフルエンザ薬があることを医師も患者も知っているからです。実際、日本では、診断だけで終わり、抗インフルエンザ薬を処方されないでそのまま帰されるということはほとんどありません。

それでは自閉症ではどうでしょうか。現在、アメリカで開発されたさまざまな療育法が日本でも行われるようになり、飛躍的に改善している子どもたちも少なくないのですが、そのことを医師も保護者も十分には知りません。せっかくの情報が広まっていないのです。

このように「自閉症が増えている」ということ、「対応策がある」ということ、この2つが医師にも一般の方にも十分に知られていないことが大きな問題です。

発達検査では何がわかるの？

発達検査は、乳幼児健診で発達の問題があると疑われたときだけでなく、医療機関を受診した場合にも受けることが多い検査なので、きちんと知っておく必要があります。

幼児期、とくに健診の行われる1歳6ヵ月児や3歳児は、発達の途中であることもあり、知的能力、すなわち知能を正確に測定することが難しく、正確に測定するための標準化された方法がありません。

発達検査は、知能検査によく似ていますが、実際には異なります。発達途中の幼児の知能を通常の知能検査で調べることが難しいので、異なる方法で発達の程度を調べたのが「発達検査」です。

発達検査の代表的なものとしては次のようなものがあります。

●遠城寺式乳幼児分析的発達検査法（九州大学の故遠城寺宗徳先生たちによって開発されました）
●デンバーⅡ発達判定法（アメリカの検査法を日本語に直したものです）
●新版K式発達検査2001（京都市で開発され、頭文字のKがついています）
●田中ビネー（ビネーの検査を田中寛一先生、田中教育研究所が工夫しました）

デンバーⅡは「異常なし」「異常の疑い」を分けるだけですが、他の検査では発達年齢を算出します。発達年齢とは、精神や知能の発達の程度を年齢で示したものです。通常、発達年齢は暦年齢（実際の年齢）と比較して発達指数（DQ：Developmental Quotient）を計算します。発達指数は以下の式によって求められます。

$$発達指数（DQ）=\frac{発達年齢}{暦年齢}\times 100$$

暦年齢と発達年齢が同じであれば100となることは理解していただけると思います。すなわち100が標準値ということになります。ですからたとえば3歳6ヵ月ならば42ヵ月、そのときの発達年齢が2歳3ヵ月であれば27ヵ月ですから、27÷42×100＝64という計算式から、発達指数は64となります。

発達のスクリーニング検査として多く使用されているのは遠城寺式と新版K式、最近では後者を使用するケースが多いようです。「新版K式発達検査2001」では、姿勢・運動領域（3歳半までの運動発達に関する観察項目）、認知・適応領域（目で見て手でする課題を多く含む）、言語・社会領域（聞いて言葉であるいは指差しで答える課題を多く含む）の3領域で判定することになっています。原因にかかわらず、言語能力（自発語および理解）と日常生活能力が低ければ、低い発達指数になります。

子どもの発達指数（DQ）は変化する

発達検査で算定される発達指数（DQ）はしばしば、知能指数（IQ）と混同されるケースが多いようです。

成人の知能指数は、標準を100、標準偏差が15となるように設計されています。標準偏差が15になっていますから、狭い意味での正常知能は85～115ですが、広い意味での正常知能は、70～130になります。70以下の人は約2％、130以上の人は2％くらい存在する正規分布をしています。

成人では、脳の障がいなどが起きなければ、老化が始まるまでIQは一定といわれます。すなわちIQはその個人の恒常的（簡単には変化しない固有のもの）な状態を表します。

しかし子どもたちの場合には年齢とともに知能が発達することから、比較できるのは同じ年齢の子どもたちの集団だけです。年齢が上がれば、再度検査をやり直さなくてはなりません。つまり、発達指数は恒常的なものではなく、年齢によって変動するものなのです。検査結果はあくまでも目安にすぎません。発達指数が低いからといって決して絶望しないでください。自閉症を伴わない知的障がいの場合は、検査結果がその後の知的能力の発達と高い相関があるといわれますが、自閉症児の場合には必ずしもそうとは限りません。

早期絶望しない、あきらめない

しかし、世間では子どもの時代の発達指数も、成人の知能指数と同じように変化しないものと誤解されていますし、医療・保健関係者ですらそう考えている場合が少なくありません。このような状況では、低い発達指数の値を告げられるということは、将来にわたって「ダメ」と宣告されたに等しいものがあります。そこであきらめないファイトを持つことは……普通はむずかしいと思います。

でもあきらめないでください。後で説明する個別療育を行ってみると、発達指数が２歳６ヵ月の時点で45であったのに４歳では70になる場合や、３歳８ヵ月で58であったのに５歳２ヵ月では85になったという場合も経験しました。すべてがうまくいくわけではありませんが、そんな場合もあるのです。

５歳になればＷＩＳＣ－Ⅲ（ウェクスラー式知能検査小児版第Ⅲ版）という知能検査を受けることもあります。この検査では知的能力を言語性のＩＱと動作性のＩＱに大きく分け、それぞれのＩＱと全検査ＩＱ（通常のＩＱと同じ）を算出します。ただし、ＷＩＳＣ－Ⅲは知能検査とはいっても発達検査と同じような面があり、子どもの場合には、必ずしも恒常的な数値とはいえません。

高機能自閉症では言語能力は高いことが多いので、言語性のＩＱは高くなることが多いのですが、動作性のＩＱが低くなることがしばしばです。言語性ＩＱと動作性ＩＱの差が15以上あれば全検査ＩＱの信頼性は低くなります。その場合は、ＷＩＳＣ－Ⅲ検査結果は参考値にしかなりません。

重要な情報ですが、こうしたこともあまり知られていません。小学校などで、行動やコミュニケーションに困難を抱える子どもたちにこのWISC－Ⅲを実施し、全検査IQが低く出れば、通常学級にいるのに特別支援学級への転籍を勧められてしまうような場合すらあります。

発達指数であれ知能指数であれ、子どもの時代には変わらないものではなく、変化しうるということ、そして検査法の特性をよく理解しないと正確な判定はできないこと、これらはまだわが国では十分には認識されていません。残念ながら、「低い発達指数（DQ）＝将来にわたって改善の希望なし」と診断される例が跡を絶ちません。

またもや「早期発見＝早期絶望」です。発達検査の結果を聞くと同時に「改善しない知的能力」という烙印を、押されるわけです。これで落ちこまない保護者はいませんが、そこでの心のケアはほとんどありません（図3－4）。

なお発達検査を受けた場合、その内容や詳細については知らされず、発達指数だけを告げられることもあるようです。そのような場合には、別のところで相談することがあるかもしれないことも考えて、検査結果のコピーをもらっておくことをお勧めしています。

保健所や福祉施設をはじめとする行政機関は、最近の個別療育に関する情報を十分には持っていません。そのため幼児期に自閉症と判断されても、自閉症児向けの療育が受けられる方法、施設や専門家を紹介することも少ないのです。一方で多くの市区町村には知的障がい児の

図３－４　早期診断ができても対応策を提案されなければ保護者は絶望するしかない

通所施設がありますから、こうした施設に通って、コミュニケーション能力や身辺自立スキルを身につけるように勧められることが多くなります。

一部の先進的な取り組みをしている市区町村では、発達の遅れを抱える子どもたちを集めての集団療育を行っているところもあります。最近ではアメリカで開発された療育法のＴＥＡＣＣＨやＡＢＡ（くわしくは第5章以降で説明します）などがわが国でも普及してきており、それを取り入れた療育を行っているところも増えてきました。しかし、日本における行政の療育体制は、大きな地域格差があります。自分の住んでいる地域でどのような療育が行われているのか調べてみることをお勧めしています。

第3章のまとめ

①乳幼児健診で自閉症が発見されることが多い

乳幼児健診が自閉症の診断につながるもっとも大きな機会です。以前は3歳児健診での発見が多かったのですが、最近では1歳6ヵ月児健診で発見されることも増えてきました。

②自閉症と診断されても、具体的な対応策を教えてもらえないことが多い

自閉症の診断に先立って発達検査が行われることが多く、そこで発達の遅れがあると判定されると知的障がいと判定され、このまま治らないと告げられることがあります。これでは早期診断＝早期絶望です。しかし、自閉症の障がいを軽減し、生活能力や言語能力を獲得するさまざまな療育法が開発されており、一部で大きな成果をあげています。

③発達検査の結果は確定的なものではない

幼児の発達のスピードは個人差が大きく、ある程度成長した子どもを対象にして行われる知能検査と違って、確定的なものではありません。発達検査の結果は療育によって変化する場合もあります。あきらめる前に「何かできることはないか」いろいろと調べてみましょう。

第4章

自閉症と診断された……どうしたらいいの？

自閉症は第1章でお話ししたように、知的レベルにも症状にも連続性を持つスペクトラム障がいと考えられていますから、おなじ自閉症といってもさまざまな症状の人がいます。これは子どもから大人まで同じです。その時点で抱える社会生活上の困難や、将来抱えるかもしれない困難もさまざまです。そう考えるとすべての状況について解説することは不可能ですから、ここでは何らかのモデルを設定して話を進める必要があります。とりあえず、本章では言葉を話すことのできない、2〜4歳の子どもが自閉症と診断されたというモデルで考えてみましょう。

私は自閉症をこうして診断する

まず、2〜4歳で言葉が出ないお子さんを診察する場合、私ならどうするかを説明しましょう。

私の外来はすべて予約制で行っており、新しい患者さんは子どもでも大人でも、初診は基本的に1時間かけています。同行した保護者からこれまでの経過や生まれたころの様子、日常生活での問題点などをうかがい、子どもを観察します。

診察中は、走り回っていても構いません。呼びかけたり、手を伸ばしたりして子どもの反応をチェックします。クレーン現象があるかどうか、視線が合うか、声を出すか、常同行動があるか、何か特定のものにこだわるか、新しいものを見つけたときにそれを保護者に見せようとするか、などなどです。もちろん表情や皮膚の状態なども観察します。

もともと何らかの疾患があり、そのうえで自閉症を併発していることもあるので、体の問題は常に考えておく必要があります。X染色体の異常や結節性硬化症（皮膚の白斑やけいれんなどが見られ、しばしば自閉症を合併します）など、さまざまな病気があります。

といって最初から裸にして全身を診ようとすると、自閉症特有の感覚過敏などの問題から子どもが逃げてしまい、二度と仲良くなれないこともあるので、最初は行わないこともしばしばです。

自閉症と診断された場合には、次にどうするかを保護者の方と一緒に考えます（地域によって公的なサービスも異なるので、事前に地域の状況を調べてきていただくこともあります）。あとで説明する個別療育についてお話しし、お勧めすることもあります。そうこうしていると1時間はあっという間です。

自閉症と診断した場合には「自閉症は親の育児が原因で起きる病気ではなく、あなた方のせいではない」ということを、はっきりと伝えます。自閉症は、脳の障がいによっておきる疾患であることもお話しします。また療育によってその後の発達が大きく変わる可能性があることや、対応によって能力が伸びたり、伸びなかったりすることがあることもお話ししています。

ここまでは初診の場合ですが、実際には初診だけで終わることはまずありません。それから長いお付き合いが待っています。自閉症では中心となる症状は同じでも発達段階や年齢によって抱える社会的困難は変わってきます。また自閉症を抱える子どもを持つ保護者が、療育に疲れてうつ病になったり、睡眠障がいを起こしたりすることもあります。

現在、全国各地でさまざまな療育方法が試みられて成果をあげていますが、現時点では「これが決定的として一般に知られている療育法」はありません。ですから「療育」も、その子どもに合ったものを手探りで見つけていかなくてはなりません。

また、個別療育は日々の生活のなかで継続的に行われるものです。当然、自閉症児だけでなく、家族の協力も不可欠です。自閉症児の療育が、長期にわたり、家族全員が参加するものとなることは理解していただけると思います。

最低限のコミュニケーション力を身につける

自閉症は完治するのか？　しばしば投げかけられる疑問です。私の考えは、結論から言えば「ＮＯ」です。「自閉症の３つ組」に代表されるような自閉症の特性は成人になっても残ると考えています。それでは社会で暮らすことは可能か？　これは結論から言えば「ＹＥＳ」です。厳密に言えば、すべての子どもたちが大人になったときに普通に社会で暮らすことが可能になるわけではありません。自閉症に対する療育の限界も確かにありますので、「ＹＥＳ」と言えることが多いというのが正しい表現かもしれません。

障がいに対する基本的な私の考え方を説明します。たとえばＳさんが交通事故に遭って片足を失い、身体障害者２級に認定されたとします。当然ながらそのままでは歩けません。しかしその後、Ｓさんは義足をつけました。自由に歩くことができるようになり、行動範囲は一気に広がりました。もちろん障がいは残るわけですが、日常生活には支障はありません。精神的な障がいや発達障がいでも、義足に相当するような補助手段があれば、普通に社会で暮らしていける可能性が十分にあります。

ここでは幼児期の自閉症を中心に説明しているので、くわしくはお話ししませんが、知的障がいのない高機能自閉症の場合、適切な周囲の理解とサポートがあれば困難を減らして社会生活を送ることができます。しかし２～４歳で言葉の出ないまま自閉症と診断された場合、何の療育もしなければ、たとえヘルパーをつけたとしても、大人になったときふつうに社会生活を送ることはむずかしいと思います。

言葉に遅れのある自閉症の場合、単にサポート手段を用意するだけでは、義足を用いて、日常生活が送れるようになったSさんのようにはならないのです。自閉症児が周囲のサポートを引き出すためには、「自分がいま何をしたいのか、どんなサポートを欲しているのか」を相手に伝える能力がなくてはいけません。それには最低限のコミュニケーション能力は不可欠です。

自閉症の障がいを抱える子どもを療育する際には、自閉症の特性は生涯変わらないという認識に立ち、まずは周囲のサポートを得るのに必要な最低限のコミュニケーション能力の獲得を目指します。具体的には、他人にあいさつをする、指示に従って行動する、しなければいけないこと、してはいけないことを理解する、自分の考えを言うことなどです。言語能力の獲得には早期療育が必要です。療育をスタートする時期が早ければ早いほど大きな成果が望める可能性があります。早期絶望などしている場合ではありません。

ケース1
もう20年以上も診察している26歳の自閉症の男性です。４歳のときに言葉の遅れがあるということで保健所から紹介されてきました。当時は、言葉の理解もほとんどできず、自分でもしゃべることはできませんでした。積み木を与えると何時間でも遊びますが、建物や乗り物などを作るわけではなく、きちんと決めた順序に並べることの繰り返しでした。診察の合間も付近を歩き回って、ピョンピョン飛び跳ねるなどの常同行動が見られていました。

発達指数は35と判定され、知的障がい児のための通所施設に通うことになりました。小学校入学のときには、衣服の着脱や食事を一人ですることは可能になっていましたが、言葉は出ませんでした。

入学前に障害者手帳を取得しました。小学校は特別支援学校（当時は養護学校）に入り、小学校の間にようやく「ママ」と言えるようになりました。中学校も特別支援学校でしたが、入学前にてんかんの発作を起こし、それ以後はてんかんの薬を服用しています。現在は知的障がい者のための生活実習施設に毎日通って、空き缶をつぶしたり、草むしりをしたりしています。言葉の能力では、話せる単語の数は100程度に増えてきましたが、文章として話すことはできません。理解の面では、簡単な言葉による指示（お皿を並べる、作業服に着替えるなど）は理解し、実行できるようになりました。物を並べるこだわりは現在も続いています。

数年前から行動療法を取り入れ、それによって少しずつ日常生活の中でできることが増えてきていますが、コミュニケーション能力には大きな変化はありません。このような経過の人たちが今までは一般的であったのかもしれません。これがいわば自然の経過なのかもしれませんし、そうした人たちをこれまでに数多く診てきました。

TEACCHとの出会い

私は、30年以上もさまざまな障がいを抱えた子どもたちと接してきました。しかし10年ぐらい前までは早期療育も知られておらず、自閉症児への対応は、知的障がい児の通所施設に通ってもらう、集団での指導があればそれに入れてもらう、てんかんなどの合併症があれば治療をするといったことが中心で、自発言語の獲得や理解の促進の手段は、「思いもよらない」ことだったのです。

しかし、1990年代から、アメリカで開発されたさまざまな自閉症児の療育法が日本にも紹介され、徐々に実績を積み重ねています。

療育という面で、私が最初に衝撃を受けたのはTEACCH《ティーチ》（Treatment and Education of Autistic and related Communication-handicapped Children）でした。TEACCHは、アメリカで生まれた自閉症や関連する障がいを抱える子どものための対応と教育法です。くわしくは第5章で説明しますが、TEACCHでは、環境と対応の構造化、わかりやすい道筋を提示して行動を導く、わかりやすい環境にするなどのアプローチをとります。私の尊敬する佐々木正美先生（現在、川崎医療福祉大学教授）がアメリカからその概念を導入され、国内での普及、啓蒙に努めてこられました。

ＴＥＡＣＣＨの効果はすばらしいものでした。それまでは教師がどんなに努力しても、指示に従って行動できなかった自閉症の子どもたちが、視覚的構造化を用いた手順リストによって静かに行動できるようになったのです。私も、実際にこうした場面を目の当たりにしました。

これはそれまでの自閉症に対する姿勢、すなわち「様子を見るだけ」を変えるに十分でした。佐々木正美先生の講演を聴いたり、セミナーに出たり、また教鞭をとられている倉敷の川崎医療福祉大学まで出かけたりして教えていただいたりもしました。そこで得た経験から、自閉症と診断されても「あきらめないで」と言うことができるようになりました。

ＴＥＡＣＣＨは、単なる療育法というよりは環境設定を含めたシステム全般の見直しです。自閉症を抱える子どもだけではなく、彼らを取り巻く大人や子どもにとっても過ごしやすい状況を作り、その中で自閉症の子どもが理解しやすい手段を用いて発達を促していきます。

バリアフリーからリハビリテーションへ

具体的には、自閉症児が行動しやすいように教室や自宅の間取りを変更したり、着替えの手順をカード化したりするといった方法が有名です。ＴＥＡＣＣＨは、アプローチの明瞭さから、世界中に普及しているということが当然のように感じられました。しかし、ＴＥＡＣＣＨ

を実践しているうちに個々の子どもたちの能力をもっと伸ばすことができるのではないかという疑問も出てきました。

障がい者の介護にたとえてみましょう。体が不自由になったときに、家の中の段差をなくしたり、手すりをつけたりする、これがバリアフリーの考え方です。バリアフリーを実現して、障がい者や高齢者にとって行動しやすい環境を作り出す。これは、まさに自閉症児に快適な環境を作り出して、その潜在能力を引き出そうという、TEACCHの思想に共通するものです。

バリアフリーは有用ですが、障がい者の生活能力を高めるには、これだけでは不十分です。なぜなら障がいには一人ひとり異なった面があるので、その人にあった対応やリハビリテーションをしないと十分な能力の回復につながらないからです。設備を改善すると同時に、障がい者の身体能力を回復させるリハビリテーションが両輪として機能してはじめて障がい者の自立が実現します。

私は、自閉症児の療育においても、バリアフリーの環境を整えると同時に障がい者のリハビリテーションに相当する療育法が必要ではないかとの考えに至りました。

しかし、ひとつとして同じ症状のない自閉症の障がいに対応したリハビリテーションとはいったいどんなものなのでしょうか。

個別療育で子どもの能力をさらにアップさせる

そこから個別療育について調べ、考え始めました。療育の詳しい手順については第5章にまとめてありますので、ここでは簡単に触れるだけにしておきます。

私は、小学生以上の高機能自閉症やＡＤＨＤ（注意欠陥・多動性障がい）の子どもに対しては、外来診療の中で、社会生活訓練（Social Skills Training：SST）を行ってきました。自分の思っていることを表現する、手順を紙に書いて実行する、いやなことがあっても我慢してポイントを貯めるなどの方法によって社会生活上の困難を減らしていく訓練です。ですから個別療育についてある程度理解していたつもりでしたが、２〜４歳の言葉が出ない自閉症児を対象とした個別療育については経験もなく、どうすればよいのかわかりませんでした。

最初に出会ったのはＰＥＣＳ《ペックス》（Picture Exchange Communication System…絵カード交換法）でした。これは、絵を見せることで伝えたい内容を視覚的に理解させるアプローチで、最初は行動を変容させ、次いで言葉の表出に結び付けようというものです。全部で6段階のステップがあり、最初はうまくいったのですが、言葉を出すようにするステップ4ぐらいからうまく進まなくなっていました。

ＰＥＣＳの限界を感じていたとき、ＡＢＡ《エービーエー》（Applied behavior analysis…応用行動分析）の考えに基づく個別療育のことを知りました。ＡＢＡとは、簡単に言えば、行動の段階を細かく分けて、望ましい行動を強化し、望ましくない行動を消去するという理論です。

ＡＢＡにはいくつかの療育法がありました。私が出会ったのはＡＢＡの中のＤＴＴ（Discrete Trial Training…不連続試行法）でした。ＤＴＴでは、基本的に治療者は机をはさんで子どもと１対１で向き合って集中的な訓練を長時間行います。治療者にとっても大変な負担がある訓練ですが、その療育効果は想像を超えていました。すべての子どもたちではありませんが、これまでほとんどコミュニケーションが成立しなかった自閉症児が、私の指示を理解し、自発的に言葉を発したのです。その効果には驚きました。

ＡＢＡには集団療育を上回る効果がある

私も長い間、個別療育についてはよくわかっていませんでした。しかしその効果を知ってから、それを広めるための努力をしています。では、どのくらい効果が出るのでしょうか。あくまでも個人的な経験に基づく見解ですが、２～４歳で自発語が出ていない場合、１年後に簡単な指示ができ、何らかの自発語が出てくる可能性は、集団療育のみの場合は10～30％程度であると思われますが、ＡＢＡを行うことで、これが70％にまで高まります（すでにＡＢＡを始めていて途中から診ている子どもたちも多いので、統計学的な検証が得られたデータではありません）。

ＡＢＡなどの個別療育がめざましい成果をあげているにもかかわらず、現時点では療育についての情報はそれほど多くなく、行政や医療関係者が、個別療育のことをまったく知らない場合もあります。個別療育の普及度はまだまだ低いと言わざるを得ません。むしろ、保健・医療の関係者や従事者よりも、保護者のほうが何とかしよう、何とかならないかと必死です。個別療育は、ＡＢＡ以外にもいろいろな選択肢があります。その子にとってよりよい療育方法は何か、どれを選ぶのか、そのためには正しい情報と療育のメニューが必要です。

そこで、第5章では、日本で行われている主な療育法を紹介するとともに私が実践している個々の自閉症児に対応する個別療育のアプローチを具体的に解説しました。保護者にも、そして保健・医療の関係者にも、また福祉や教育の関係者にも知ってもらえればと考えています。

血液検査やＭＲＩ、ＣＴなどの検査は必要か？

自閉症の診断には、特別の血液検査やレントゲンを使った方法などはありません。しかし、医療機関では自閉症が疑われた場合にはさまざまな検査を受けることを勧められます。

貧血や肝機能、腎機能などの一般的な検査に加えて、染色体の検査、甲状腺ホルモンの検査、血液のアミノ酸の検査や脳のＭＲＩ（核磁気共鳴画像）やＣＴ（コンピュータ断層撮影）、脳波検査などいろいろです。自閉症の診断自体はこうした検査がなくても可能です。しかし、その他の病気で障がいが起きている可能性も否定できませんから、こうした検査を受ける意味は十分にあります。

貧血や肝機能、腎機能などの一般的な検査は栄養状態も含めた全身状況の評価ですから、機会があればお勧めしています。また、染色体やアミノ酸の検査については、一部のアミノ酸の代謝異常（特殊なアミノ酸が体内に蓄積する）や染色体異常症が自閉症と合併しやすいことが知られています。こうした検査を行うことによって、そのほかの身体症状の検討や、治療法の検討に進む場合もありますので、症状などから疑われた場合にはお勧めしています。

ＭＲＩやＣＴ検査で脳の奇形などが発見されることはまれです。ただ、可能性はゼロではありませんし、自閉症では脳そのものが大きくなる場合もあります。ＣＴやＭＲＩは、子どもが撮影中に動くと正しい像が撮影できません。そのため、小児の場合は、トリクロールなどの睡眠導入剤を検査時間に合わせて服用してもらい、眠った状態で撮影します。トリクロールには、副作用は特にありませんが、飲んでから数時間は眠気によるふらつきなどが残ることがありますので、道を歩く、高いところに上るなどの時には注意が必要です。

私は、こうした画像検査は必須とは考えていませんが、可能性は低くとも、あとで何か異常が見つかったときに後悔することになるので、機会があればお勧めしています。なお脳の形態についてはＭＲＩのほうが細かくわかりますし、放射線の被曝もありません。ただし、脳の石灰化（カルシウムが蓄積することにより障がいを起こす）についてはＣＴでないとわからない場合があります。ＣＴで放射線の被曝を過度に心配される方がいますが、通常の撮影では問題はないと考えています。

脳波検査を行うことでてんかんが発見される可能性もあります。自閉症では25％がてんかんを合併すると言われていました。実際にはそれよりも少ない印象ですが、知的な障がいが強いほどてんかんの合併率が高いことは事実です。ですから熱性けいれん（てんかんではなく発熱にともなっておきるけいれん。わが国では12～18人に１人の割合で幼児期にみられます）を含めてけいれんが見られる場合はもとより、見られない場合でも一度は検査をしたほうが良いと思います。てんかん発作の出やすい時期は４～６歳と10歳過ぎですので、私は、けいれん発作がなくても、小学校入学前、10歳前には検査を受けることをお勧めしています。脳画像検査と同様に幼児期には睡眠導入剤で眠らせて検査をします。

発達検査は、それまでに受けていない場合にはお勧めしています。知的な障がいがあるのかないのか、あるとすればどの程度かは、外来で子どもをよく見ていれば見当はつきます。しかし、子どもの苦手分野や得意分野がわかっていれば、その後の対応を考えるうえで重要な指針になります。5歳以上になれば知能検査（WISC－Ⅲなど）を受けることをお勧めしています。

そのほかにも遺伝子の検査や特殊な染色体の検査などを行う医療機関もありますが、それらの検査の多くは保険診療の対象となっておらず、費用も高額なため、特に疑われた場合のみに実施することになります。

なお後で説明する治療との関連での三次元CT（3D－CT）や血液・毛髪での水銀を含む重金属の測定などは、一般的にはお勧めしていません。

障害者手帳は取得する？　しない？

障害者手帳の取得の是非についても、保護者の方からよく受ける質問です。

障害者手帳は障害者自立支援法に基づいて発行されます。この法律は基本的にサービス法であり、多くの障がい者サービスがこの法律に基づいて行われています。

この法律で規定されている障がいは現在のところ「身体」「知的」「精神」の3つの障がいであり、発達障がいは入っていませんでした。しかし社会福祉審議会の答申を受けて厚生労働省は発達障がいを同法の対象に含める必要性を認め、２００９年4月には改正案を国会に提出しました。残念ながら、改正案は、総選挙にともない廃案になってしまいました。しかし２００９年９月、厚生労働大臣が現行法の不備を認め、これを廃止して新しい法律の制定を指示しました。そのため新しい法律ができたときには、発達障がいも障害者自立支援法の対象になる可能性が高いと思われます。

子どもの時には障害者手帳の取得のメリットは、費用給付（知的障がいの場合にはB以下）、児童デイサービスの利用以外にはあまりないかもしれません。現状では発達障がいというだけでは障害者手帳は取得できないので、知的障がいの症状が確認される必要があります。３歳で言葉が出ないなど、言葉の遅れがあれば知的障がいで取得することが可能です。

取得の手順は都道府県によって異なります。その後の個別療育によって言葉が出るようになったり、生活習慣の問題が少なくなったりすれば、知的障がいとは診断されなくなり、手帳の取得ができなくなる場合もあるので、障害者手帳を取得したほうが望ましいと判断した場合は、なるべく早めに取得することをお勧めしています（子どもの場合には再判定が義務付けられている場合もあり、大きな発達の促進が見られたと判定された場合には手帳はなくなります）。

障がい者という言葉に抵抗感があるかもしれませんが、将来直面するかもしれない困難に対応するためには、手帳を持っておいたほうがよい場合もあります。特に就労の際には、障害者手帳があるほうが明らかに有利です。

障害者手帳を取得したからといって、そのために差別されたり不利益をこうむったりすることはありません。障害者手帳を持っていると、就学時に通常学級への入学を許可されないのではないかと心配される方もいらっしゃいますが、これも無関係です。能力があれば障害者手帳を持っていても通常学級への進学は可能です。

成人の高機能自閉症は、しばしば就労などで困難をきたします。そこで障害者手帳の取得を考えても、成人になってからの取得はなかなか困難です。高機能自閉症では、二次障がいとしてのうつ病やパニック障がいがしばしば見られます。皮肉なことですが、そのような精神障がいが現れないようにカウンセリングをしている間には障害者手帳を取得するのが難しいのに、二次障がいを起こしてしまえば精神障がいの手帳が簡単に取得できるという矛盾もあります。

横浜市ではＩＱ90以下の自閉症は障害者手帳が取得できるということですが、本来はＩＱにかかわらず、自閉症の診断で障害者手帳が取得できるようになるべきです。なぜならばＩＱが高いからといって、困難に直面するリスクが低くなるというわけではなく、成長したからといって自閉症そのものが治るわけではないからです。たとえ、療育によってコミュニケーション能力や社会適応能力が高まったとしても、自閉症の特性に対する配慮や注意は必要です。

子どもの未来を信じよう

　障がいがあると、それがその子のすべてのように感じてしまう——これはわが子が自閉症と診断された保護者のほとんどが実感されていることだと思います。しかし障がいはその子の人格でも存在でもなく、その一部です。障がいの陰には、ほとんどの場合、才能があります。しかし今わかっているのは障がいです。２～４歳で言葉がしゃべれなくて自閉症と診断された。この時点では、親の目に映るのは障がいだけです。

　個別療育などの方法で、ある程度の社会適応能力とコミュニケーション能力を身につけたときに初めて、障がいだけではなく才能の部分が見えてきます。もちろん見えてきただけでは十分ではありません。それをどう活かしていくのか、どう磨いていくのかということが重要になります。たくさん自閉症児を見ていると、気に入ったことに対する集中力や記憶力の高さには感動することがしばしばありますし、絶対音感や特殊な色覚などを含めて特異な感覚を持っている場合もあります。理論的に物事を組み合わせることなども得意な領域に入ります。

　成人の高機能自閉症の人たちを見ていると、自閉症の側面は残しながらも豊かな才能を発揮している人たちが少なからずいます。絵や彫刻で名をなしている人、音楽の世界で演奏家として活躍している人、囲碁のプロ棋士として活躍している人、コンピュータのシステムエンジニアとして高収入を得ている人、生物科学の研究者として大成している人、さまざまです。一方でどうやって生活していけばいいか悩んでいる人もいます。その差は何なのでしょうか?

個人的な感想ですが、うまくいっている人は、自分に自信が持てるようになっています。私はセルフエスティーム(self-esteem)が高いと説明しています。セルフエスティームは、自尊心や自尊感情などさまざまな訳がありますが、自分の価値を認識し、自分に自信が持てることだと考えています。障がいを抱えていると、どうしてもうまくいかない状態に慣れて、セルフエスティームは低くなりがちですが、周囲に支えられ、自分にできることを見つけていく中で、セルフエスティームが高い状態にすることが成功の秘訣だと感じています。

もちろん子どものセルフエスティームが高くなるためには保護者の意識の持ち方も大切です。保護者のセルフエスティームが低いのに、子どものセルフエスティームだけが高くなることは、まずありません。子どもの障がいを告げられた保護者がセルフエスティームを高くするコツ、それにはいくつかのポイントがあります(図4-1)。

●悩みを自分ひとりで抱え込まない
●一生懸命の自分にごほうびをあげる
●何があっても子どもの未来は信じる

突然こういわれても難しいとは思いますが、これらのコツは自閉症を抱えた子どもを育てて

図４－１　療育を成功させる３つのポイント

いくときにとても大切なことです。どうすれば良いのか、誰しも悩みます。自分ひとりで悩んでいればどうしても気持ちが沈んできます。家族でも友人でも保健や医療の関係者でも結構です。相談できる人を作っておくことがまず大切です。

子どものことだけに一生懸命になっていると、自分のことはどうでもよいと言われる方もいます。しかし自分のことを犠牲にして子どものことだけに一生懸命になる、それでは長続きしません。自分へのちょっとしたごほうび、子どもを預けてちょっとしたランチ、お出かけ、美容院、いろいろありますね。それも大切です。

何があっても子どもの未来を信じることも必要です。子どもの成長はなかなか思うようにはいきません。これは自閉症を抱えていてもいなくても同じなのですが、思うようにいかなくても、いつかはできると信じていることがセルフエスティームを支えます。

障がいを受容するということ

自閉症という診断を受けたからといって、それに納得することは簡単ではありません。冷静に納得できることのほうが少ないかもしれません。自分の子どもが障がいを抱えているはずがないと信じて、現実を受け止められないこともあります。

保護者に対しては、私はなるべく冷静に、医学的に診断をした結果をお話ししています。療育についての情報や、可能性についても同様です。さきに話したように自閉症は、いまだに原因がわかっていませんし、障がいを完全に取り除く治療法があるわけではないので、断定的な診断は避けるようにしています。

しかし、自閉症はまだまだわからないことが多い障がいにもかかわらず、医師や医療機関によっては、あたかも未来が１００％確定しているような断定的な診断を下すケースもあるようです。「根本的な治療はない」「あなたの子どもの知能（発達指数）は低いので、将来に希望は持てない」と突き放されることもあるわけです。また、療育施設に通うことを含めて、行政からの支援を受けるときには、「診断」され、その結果に「納得」して「受容する」ことが強要されることがあります。

行政の担当者から「早く納得しないと療育も始められない……」という厳しい言葉が降ってきて、支援を受けるためにさっさと診断を受容するよう強く促される――そのような場合が少なくありません。時間がないまま受容を勧められることはしばしば「あきらめ」につながります。そこであきらめないためには、情報を集めることを含めて、努力も必要です。

自閉症を抱えているから、大人になったときにみんなが幸せでないかと言えば、決してそうではありません。自閉症を抱える子の多くは、障がいの部分に負けず劣らず才能の部分も持ってます。その部分を活かしていけば、そして社会的に成功すれば、その人を社会は障がい者とは呼びません。しかし発達の遅れを伴った自閉症と診断された時点では、そんな未来があることは誰も教えてくれません。

一方で、目の前にある事実、自閉症という診断、発達指数が低いということ、それからは逃げないでください。目をそむけていては、本当に必要なことは見えてきません。この子は歩けない、話せない新生児のときに、両親だけを頼りに生まれてきたのです。この子の未来を真剣に考えて、もっとも正しいと思われる方法を考えるのはまず保護者です。

情報が少なければ集めましょう。わからなければ誰かに聞きましょう。必要なことは、権威や肩書に頼るのではなく、誰が教えてくれるのか、何かできることはないかを探すことです。

温かい目で見守りましょう、長い目で見ましょう

お子さんを「温かい目で見守りましょう」「障がいは長い目で見ましょう」――保健や医療、教育の場でよく言われることです。「温かい目」「長い目」とはいったいどんな目なのでしょうか？　私はこれらの言葉は使いません。言葉としてはとても聞こえがよいですが、実際には適切な対応ができないことをごまかしているだけのような気がしています。温かい目、長い目で見守っている間に、誰が何をするのか、それが明らかになっていなければ見守る意味はありません。見守るという言葉は、しばしば何もしないことにつながります。

「様子を見ましょう」という言葉も同じようによく使われます。医療関係者はこの言葉を気軽に使う傾向があります。たとえば体がだるいということで医療機関を受診しても、診察や検査の結果、はっきりした問題が見つからなければ、「様子を見ましょう」という言葉がよく出てきます。しかしこの場合には、患者には主訴があって受診していますから、何日か経っても症状がよくならなければ、もう一度受診するか、他の医療機関を受診することになります。

しかし自閉症の子どもは、自分で症状を訴えるわけではありません。ですから、様子を見ているということは、そのまま放置され続けることを意味します。適切な療育を早期に開始していれば改善が望めるようなケースでも「様子を見る」という言葉でいたずらに時間が過ぎていく。こうしたケースが少なくありません。

医師にしてみれば、自閉症は、生命維持機能にかかわる病気ではないので焦る必要はないと判断するのかもしれませんが、療育にはもっとも適した時期がありますから、それを逃すことによって後々になって取り返しがつかないことになりかねません。

子どもたちにとって、子どもである時間は限られています。人生を80年としてそれを24時間にたとえた場合、生まれてから6歳になり小学校に入るまでの時間はわずかに1時間48分です。もし何かできることがあるとすれば、時間は無駄にはできません。温かく見守っている間に過ぎてゆく時間はまさに「もったいない」かも知れないのです。

言葉の問題一つをとっても、3歳でしゃべらなかった子が6歳になってしゃべっているということはありますが、8歳のときまでしゃべらなかった子どもが10歳でしゃべるようになる、これはまずありません。ですから早目にできることを考え、それを実行していこうということになります。

第4章のまとめ

①自閉症以外の病気が合併していることもある

自閉症と診断されたら、その他の疾患や障がいを合併している可能性もあるので、一通りの医学的検査もお勧めしています。

②自閉症は完治しないが、障がいは軽減できる

現在の医学は自閉症の原因や発生メカニズムを解明できておらず、その症状をすべて取り去って完治させることはできませんが、適切な対応によって社会での生活を送ることができるようになる可能性もあります。ＴＥＡＣＣＨ、ＰＥＣＳ、ＡＢＡなどさまざまな療育方法が出てきています。

③障害者手帳取得や将来のライフプランを考える

自閉症と診断されたら、早い時期に障害者手帳を取得することも考えてください。後で役に立つことがあります。自閉症を抱えている子どもは、健常な子どもにはない特異な才能を持っていることが少なくありません。幼児期にはなかなか見つかりませんが、将来役に立つ才能が隠れているものです。静観していても事態は改善しないので、将来を見据えた対応を考え、行動することです。

第5章

いろいろある自閉症療育法

自閉症の療育について説明する前に治療や療育全体の考え方について触れておきます。それを理解していただくことで、自閉症の療育の現在抱えている問題点や、今後の可能性についても考えることができるからです。

いつまでに療育を始めなければいけないのか

「自閉症の療育はいつまでに始めればよいのでしょうか?」「これから療育を始めても、もう手遅れなのでしょうか?」。外来診療の場でしばしば投げかけられる質問です。

一般的に、子どもが「話す」「聞く」などの基本的機能を獲得するためには、適切な時期があるといわれます。その期間を経過すると、その能力を獲得するのが困難になったり、時間がかかるようになったりします。

たとえば先天性の難聴では、生後6ヵ月までに早期発見されて補聴器を使うようにすれば、重度の場合を除いて、多くの場合には言葉の遅れを伴わないですみます。しかし生後1歳以降に治療を開始した場合には、言葉の遅れが程度の差はあれ残るとされています。こうしたことからわが国でも生まれたばかりの新生児に対して聴覚スクリーニングが行われるようになり、新生児期に難聴を発見して早期対応することが可能になりつつあります。

図５－１　新生児聴覚スクリーニングで、聴覚障がいを早期発見、早期治療ができるようになった

もちろん新生児を観察するだけでは、音が聞こえているのか、いないのか、確認できません。そこで新生児の聴覚スクリーニングでは、連続的な音響刺激を与えて、誘発される脳反応をＡＡＢＲという機械で測定します（図５－１）。こうした技術が応用されるようになったからこそ、言葉が話せるようになる前に、先天性難聴が発見できるのです。

症状の重い高度難聴の場合には、補聴器の使用だけでは聴覚を獲得できません。人工内耳の手術をして聴力の獲得を目指しますが、この手術は３歳ころからの適用になりますので、それまでの期間は、手話や動作模倣などを含めた教育的な対応をすることで、抱える困難を軽減することになります。

脳性まひの場合も早期発見がきわめて重要です。もっとも多い痙直型《けいちょくがた》対まひ（両足に強い障がいが出て硬くなり、起立や歩行に支障を来す）では、生後６ヵ月頃までにリハビリテーションを開始することができれば、一部の重症の場合を除いて、歩行が可能になります。

一方で、生後1歳以降に発見されて、それからリハビリテーションを始めたのでは、歩行できるようになっても、多くは装具や手術が必要になります。すなわち、脳性まひによる障がいを最小限にとどめるためには、生後6ヵ月までには発見する必要があります。実際、多くの市区町村で行われている4ヵ月児健診では、首のすわりや反り返り傾向の有無などを丁寧に診ています。脳性まひの症状が疑われているのに「様子を見ましょう」ということはありませんし、そんなことを医師が言ったら後で訴えられるかもしれません。この場合も、歩けないという症状が出る前に、障がいを疑って診断し、リハビリテーションを行うことで、障がいを未然に防ぐということになります。

それでは、自閉症はどうでしょうか。自閉症の原因には、先ほどもお話ししたように、遺伝子の異常などさまざまな原因が考えられていますが、はっきりしたことはわかっていません。そのため、言葉の遅れが出る前に、血液検査や脳波検査、脳の画像診断などの最新の検査手法を用いても、早期発見はできません。実際、多くの自閉症では言葉の遅れが出てから初めて疑われるようになります。もちろん親戚や兄弟に自閉症の子どもがいて、保護者が自閉症に対して敏感になっている場合には、1歳頃に疑う場合もありますが、それはむしろ例外です。

つまり自閉症の場合には、障がいの原因や成り立ちがわかっていないので、症状が出る前に療育を始めるということが事実上不可能なのです。

それではいつまでにどんな療育を始める必要があるのか、何歳以降に始めると効果が少ないのでしょうか。残念ながら現時点では詳しいことはよくわかってはいません。TEACCHにせよABAにせよ、どの年齢でも対応可能としています。そう考えてみると、自閉症における現在の療育は、何歳までに始めなければ手遅れということはありません。何歳であっても、その状況に合わせた療育をすればよいということになります。「症状が出る前に予防する」ことはできませんが、「手遅れで何もできない」ということもありません。

ただし療育は一般的に早期に開始したほうが、効果が大きいと考えられています。私の場合は、言葉やコミュニケーション能力の獲得するために、可能であれば2～4歳の幼児期からABAを行うことをお勧めすることが多くなっています。7歳以降にABAを開始しても効果はありますが、やはり幼児期のほうが効果は大きいと感じています。

自閉症療育のさまざま

ここではどんな療育があるのかについて簡単に説明します。第4章でも説明したTEACC

TEACCH (Treatment and Education of Autistic and related Communication-handicapped Children)	アメリカのノースカロライナ大学のエリック・ショプラーが始めた自閉症療育法。対応と環境の構造化を進めるアプローチで、自閉症児が理解しやすい道筋を提示することで望ましい行動を導いたり、自閉症児にとって「分かりやすい」環境を整備したりします。集団と個別の両方の療育が可能ですが、わが国では集団療育での対応が多いようです
ABA (Applied Behavior Analysis：応用行動分析)	望ましい行動を強化し、望ましくない行動を消去するという行動療法の一つで、個別療育が中心です。ABAにはいくつかの方法がありますが、現在わが国で行われているABAの中心はDTT（Discrete Trial Training：不連続試行法）です。机をはさんで子どもと向き合い、マッチング、動作模倣、音声模倣などから細かなステップで療育をする方法です
VB (Verbal Behavior：言語による行動変容法)	言葉を重視し、言語的な要求を可能にすること、言語指示によって問題行動を減らすことなどを特徴とする方法です。VBの基本はマンドの獲得です。マンドは、「……がほしい」「……してほしい」などの言語的な要求を意味します。遊びや日常生活の中でマンドを引き出して自発語を増やした後で、ABAのような机上の訓練に進みます
PECS (Picture Exchange Communication System：絵カード交換式コミュニケーションシステム)	アメリカのボンディ博士によって始められた療育法。言葉の出ない、あるいは少ない自閉症の子どもたちのコミュニケーション能力を、言葉以外（絵カードなど）の手段も使って獲得させる療育方法で、目の前での絵カードの理解やカードによる指示の理解から始めます。個別と小グループでの療育が可能です

図5－2　日本で行われている主な自閉症療育

HとABAは現在の自閉症療育の中心だと考えられますので、くわしく説明します。

多くの自閉症の臨床研究から、自閉症の特性を理解、認識し、そこから出てくる発達や社会生活上の困難に対応する方法が数多く生み出されてきました。現在の自閉症療育はそうした考え方に基づいています。ここでは日本で行われている4つの療育方法について説明します（図5－2）。

日本で最も普及しているTEACCH

言語的なコミュニケーション能力が

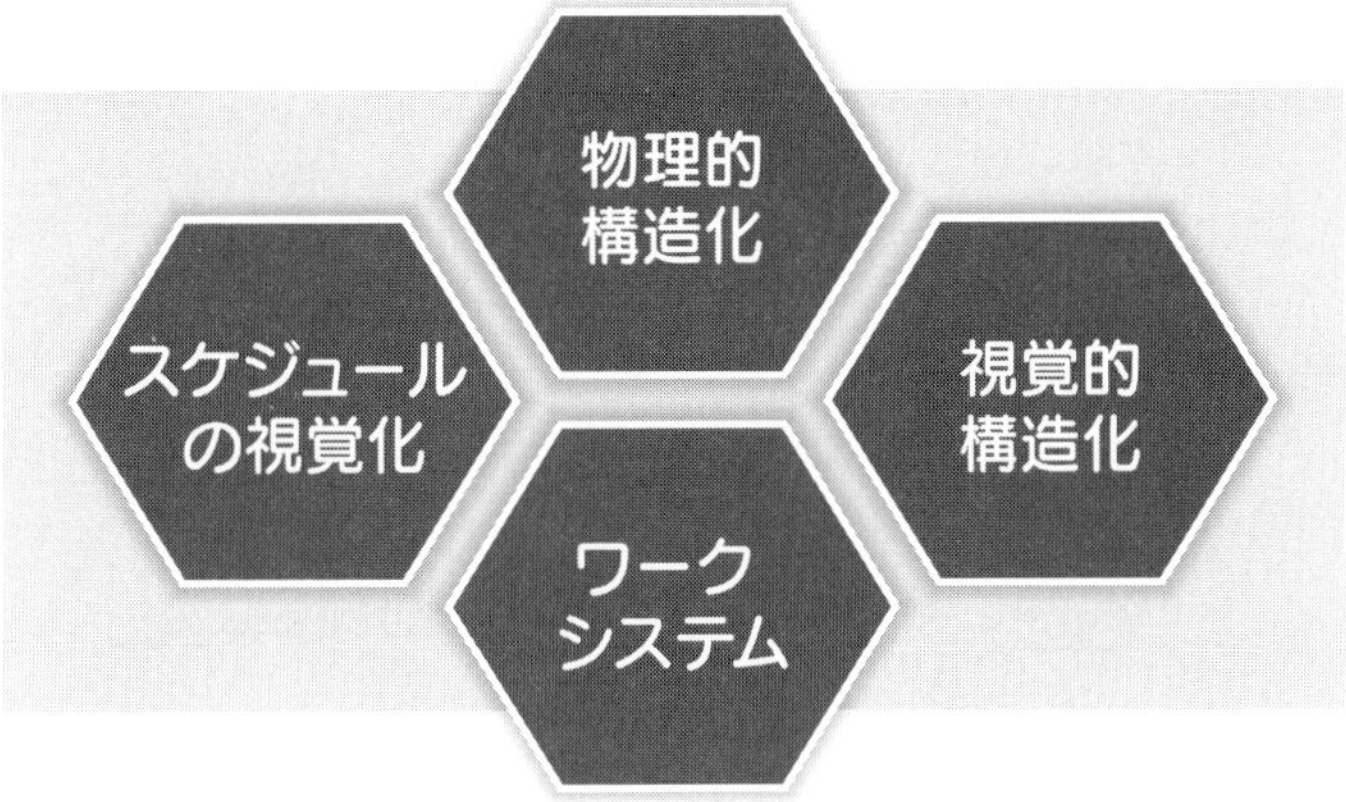

図５－３　TEACCHの構造化には４つの柱がある

得られていない時期の自閉症療育としては、ＴＥＡＣＣＨが挙げられます。

ＴＥＡＣＣＨは、対応と環境の構造化を進めるアプローチです。コミュニケーション能力に問題を抱える自閉症児が理解しやすい道筋を提示することで望ましい行動を導いたり、自閉症児にとって「わかりやすい」環境を整備したりします。

ＴＥＡＣＣＨはアメリカのノースカロライナ大学のエリック・ショプラーらによって１９６０年代にノースカロライナ州で始まり、その後わが国を含めて全世界に広がりました。わが国でのＴＥＡＣＣＨの普及は川崎医療福祉大学の佐々木正美先生の功績がとても大きいと思います。私も佐々木先生から多くのことを学ばせていただきました。

ＴＥＡＣＣＨで強調されるのは構造化（Structure）です。構造化とは環境や対応方法などの道筋を１つに

図５－４　TEACCH　物理的な構造化の例（食事するテーブルと勉強机をはっきりと分ける）

する、眼で見てわかるようにするなどの方法によって理解しやすくすることです。構造化には４つの原則があります（図５－３）。

●物理的構造化
●スケジュールの視覚化
●ワークシステム
●視覚的構造化

少しわかりにくい用語なので、補足説明をしましょう。物理的構造化とは、自閉症児がすごしやすい環境を目的別に設定することです。たとえば、自閉症児は同じテーブルで食事もするし、勉強もするということがなかなか理解できない場合があります。いったんこのテーブルは食事をするところと理解すると、そこで勉強はしなくなってしまうのです。そのため、状況ごとに使用するテーブルを替えるか、

図5－5　TEACCH　スケジュールの視覚化の例

色やデザインの異なるテーブルクロスを使用することなどによって、状況の違いをはっきりと認識しやすくさせます。また隣が気になって集中できない場合にはパーティションを使って空間を分けたりします。要するに基本的には一つのものには一つの対応にすること、空間を集中しやすいように囲うことなどの「物理的構造化」によって、自閉症児が混乱を起こしにくい、対応しやすい環境を整えるのです(図5－4)。

スケジュールの視覚化とは、本来、抽象的なものであるスケジュールや手順を、視覚的なものに変えることでわかりやすくすることです。幼児の場合には、主に絵を使ってこれから行うこと(歯磨き、着替え、朝食など)を説明します。何枚かのカードで順番に示して、これから行うことの順番を示します(図5－5)。

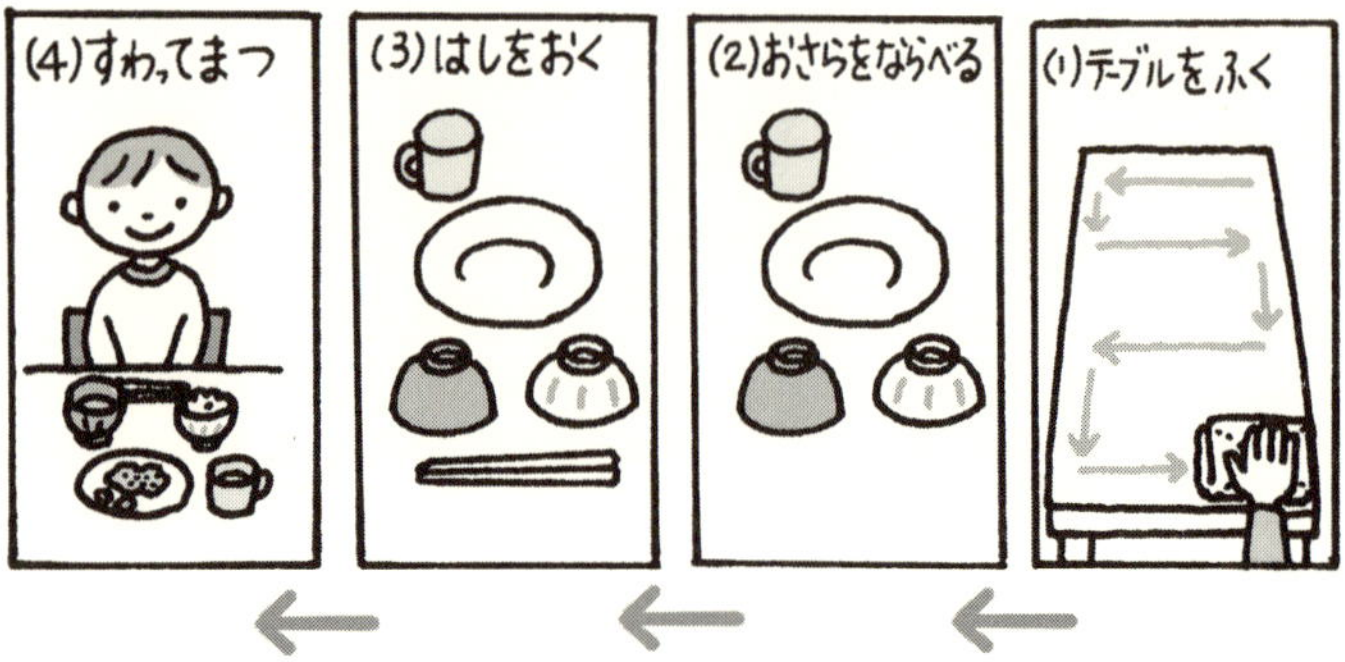

図5－6　TEACCH　ワークシステムの例

文字が読めるようになれば、文字情報を使ってスケジュールを目で見てわかりやすいように（時間の軸に沿って予定を書き込んでいく）しておきます。最初は療育担当者が作成しますが、可能になってくれば子どもにもカード作成に参加してもらいます。

ワークシステムは、What, Where, Which, Why, Howなどとも言われますが、何をどこでどのようにするのかをわかりやすくしておくことです。

例を挙げてみましょう。食事のしかたを教える場合には、①テーブルを拭く、②お皿を並べる、③箸《はし》を置く、④座って食事が出てくるのを待つ、という一連の流れを絵や文字を使ってわかりやすくすることです（図5－6）。

基本的には1枚の紙にまとめて、途中で分かれ道を作らないことです。たとえばはしを置くというところで、カレーの場合はスプーンという選択肢を作

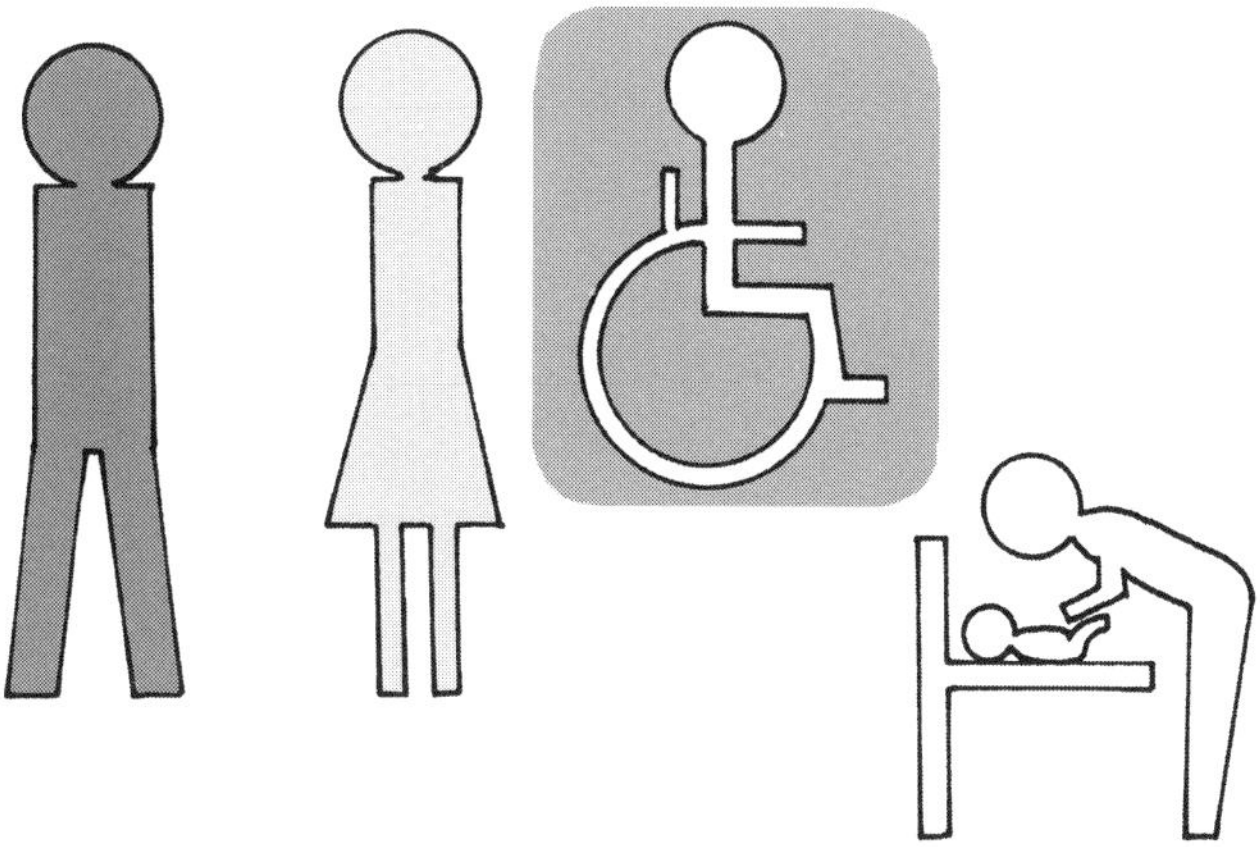

図5－7　視覚的構造化の例

るとわかりにくくなります。自閉症の場合には一つの流れには適応しやすいのですが、同時にいくつかの処理を行うことは苦手なことが多いのです。ですからカレーの時にはスプーンを使う別のワークシステムを作成することになります。これは着替えや片付けなど日常生活のさまざまな場面で使えます。

視覚的構造化とは、アイコンや写真、イラストなどを使って、状況をひと目でわかるようにすることです。視覚的構造化の例としては国際空港の看板が挙げられます。どの空港でも出口で、トイレ、荷物の受け取り、両替などが基本的には共通のデザインで示されていますので、迷うことはありません（図5－7）。

ＴＥＡＣＣＨでは視覚的構造化のみが強調される傾向がありますが、このように構造化にはいくつかの要素があります。ＴＥＡＣＣＨの本質は療育だけではなく、あくまで診断から療育、そして環境整備までのシステム化です。私も外来での対応において、特にＳＳＴ（Social Skills Training…社会生活訓練）を行う際には構造化の手法を多く取り入れています。

わが国でＴＥＡＣＣＨが普及した大きな理由は、集団対応がしやすいアプローチだからです。自閉症の症状は、個人差が大きいため、従来は集団対応が難しいと考えられてきました。しかし、ＴＥＡＣＣＨを応用すれば、自閉症児の集団全体をコントロールしやすくなります。知的障がい児の通所施設では、自閉症児の対応に苦慮してきましたから、療育の現場で歓迎されたのはよく理解できます。また、ＴＥＡＣＣＨは、スケジュールや手順など、自閉症児にはなかなか理解しにくい抽象的な概念をわかりやすく伝えるという点でも優れています。

視覚的構造化、物理的構造化の手法を用いて構造化された環境空間は、自閉症児のみならず一般の人にとっても快適で使いやすいものなので、周囲からも理解が得られやすい点も見逃せません。通所施設や家庭環境の構造化には、間取り変更などのリフォーム工事やデザイン変更が必要になるので、ある程度の費用はかかりますが、恒常的に多大な人件費が生じるＡＢＡなどの個別療育に比べれば、自閉症児１人あたりのコストはそれほど高額にはなりません。以上の理由からＴＥＡＣＣＨは行政からも高く評価され、全国で普及しています。

ＴＥＡＣＣＨの問題点は、少なくともわが国では個別療育への対応が十分でない点です。構造化のアプローチによって、自閉症の障がいを抱えた子どもたちにとって過ごしやすい環境が整備されるのは間違いありません。しかし、環境を整備したからといって、それだけで、個々の子どもたちのコミュニケーション能力が上がるとは限りません。

先ほどの国際空港の例で言えば、看板をユニバーサルデザインに変更することで旅行客が空港で迷わなくなるかもしれませんが、海外で日常生活を送るためには、その土地の言葉を話し、理解することが必要になります。何が欲しいのか、どうして欲しいのかも、相手に伝えなければならないのです。自閉症の個別療育のアプローチは、まさに異国で生活していけるように、その国の言葉を学ぶ作業に似ています。

先に説明したとおりＴＥＡＣＣＨには集団での対応の部分と個別での対応の部分がありますが、わが国では集団療育の取り組みが中心です。また都道府県によってはＴＥＡＣＣＨの手法を、自治体をあげて取り入れているところもありますし、逆に導入が遅れているところもあります。こうした情報は、都道府県や市区町村の障がい福祉の担当部門のホームページなどで調べることができます。個人向けのＴＥＡＣＣＨの講習会もしばしば行われていますので、インターネットなどで検索してみてください。

ケース2

12歳の女児です。3歳のときに言葉が出ないことを不安に思った保護者が心配して、仲介者を通じて私のところを訪ねてきました。診察してみると、視線が合わない、クレーン現象がある、手を叩いてパチパチ鳴らす常同行動がある、などの自閉症児特有の症状が見受けられることから自閉症と診断しました。診断時の発達指数は46でした。その後まもなく父親の仕事の関係でS県に転居し、そこで通所施設に通うようになりました。そこでは施設全体でTEACCHを取り入れていました。最初は人形の形のチップをそれに合う型にはめる（色で分けてあるのでわかりやすい）、色の違うクリップをそれぞれのケースに入れる（これも目で見てわかるように色と形でわかりやすく区別してあります）などから始めて、それができるようになると壁に貼られた絵に従って行動すること（着替え、食事など）を覚え、うまくできると「できたカード」にシールを貼ってもらうというごほうびをもらうようになりました。

年に一度くらい診察していましたが、5歳の時にはとても落ち着いていて、簡単な言葉による指示（座って、立って、ボール持ってきてなど）を理解し、実行することができるようになっていました。自分で話せるのは、ミルク、リンゴ、グルト（ヨーグルトのこと）など食べ物が中心で30語くらいでしたが、クレーン現象も少なくなっていました。

しゃべる能力が低いこともあって小学校は特別支援学級（当時は特殊学級）に入りましたが、その小学校の特別支援学級でもTEACCHを取り入れていたので、落ち着いて過ごしていたようです。

現在は「ジュース飲みたい」などの簡単な要求はできますし、言葉や指示の理解もかなりできるようになっていますが、ひとりで家の外に出ることができないので、保護者の方と対応を相談しています。このお子さんの場合には行動面でも理解の面でも自閉症と診断されてから大きな進歩を見せました。ケース１の方と比べるとその差がおわかりいただけると思います。しかしやはり自分で話す言葉が限定されている、少し複雑な指示の理解がむずかしいなどの問題を今も抱えています。

個別療育法のＡＢＡ

個別療育法の代表は、ＡＢＡ（Applied Behavior Analysis…応用行動分析）です。ＡＢＡとは、簡単に言えば、行動の段階を細かく分けて、望ましい行動を強化し、望ましくない行動を消去するという行動療法の一つです。

ＡＢＡは、アメリカの心理学者のスキナー博士によって開発された行動分析学から始まり、そこから派生したさまざまな方法があります。１９８０年代にアメリカのカリフォルニア大学ロスアンゼルス校のアイヴァー・ロヴァース博士らによって提唱された個別対応トレーニングがＤＴＴ（Discrete Trial Training）です。ロヴァース法と呼ばれることもあります。ＡＢＡにはあとから説明するＶＢも含めていくつかの方法がありますが、ＤＴＴはわが国ではもっとも一般的であり、単にＡＢＡと言った場合にはロヴァース法のＤＴＴを意味することが多くなっています。本書でもＡＢＡとしている場合には、特に断りがなければＤＴＴを指しているものと御理解ください。

ロヴァースの勧める方法は、２～５歳の早期に集中的に個別トレーニング（ＥＩＢＩ…Early Individual Behavior Intervention）を行うことにより（週に30～40時間のトレーニングが推奨されています）、指示を理解する力を養うとともにコミュニケーション能力の育成を図る方法です。ＴＥＡＣＣＨと対立するものではなく、ＴＥＡＣＣＨによる療育や生活の環境設定を行った後、個々の能力を上げるためにＡＢＡを併用することも可能です。

ＡＢＡの基本となるのは、**強化**、**消去**、**罰**の３つです。

ＡＢＡでは、望ましい行動を増やすために望ましい行動が得られた直後にごほうびをあげてその行動を維持したり、増やしたりします（図５－８）。これを「強化」といいます。「消去」とは望ましくない行動を消すことであり、ごほうびを与えないことで、その行動を減少させるものです。「罰」は望ましくない行動に対して不快を感じさせるあるいは快感を除去することによって、危険な遊びなどの不適切な行動を防止していくことです。

強化のためには、強化子（ごほうび）を使います。強化子にはお菓子、おもちゃ、シールなどさまざまなものがあります。しばしば食べ物を使うことが、食べ物で釣っているという誤解

図５－８　ABA強化の実例
課題をクリアした段階で、「強化子」（ごほうび）を与えることで、よい習慣が強化される

を招き、ＡＢＡそのものに対する拒否反応を招くこともありますが、最初は食べ物を使っても、やがてはその他の強化子に移行します。

ＡＢＡでは、机をはさんで「座って」という指示に従うことから始まり、マッチング、動作模倣、音声指示、音声模倣、物の名前づけ、要求表現と細かく段階を踏んで様々な課題にとりくんでいきます。

もう少し詳しく説明しましょう。マッチングとは、同じ物や似たものどうしのカードや立体などを一緒にすることです。動作模倣とは、大人が「こうして」と言って手を上にあげる、頭をさわるなどの動作をして子どもにまねをさせることです。音声模倣とは、たとえば「あ」と「か」などの単音をまねさせ、それができるようになったら「あか」と言わせたりするトレーニングです。

物の名前づけとは、文字通り物の名前と実際の物を一致させる訓練で、たとえば「象」という言葉に対して象の絵を指差すことから始め、次には象と犬の絵を並べて「象」を選ばせたりします。こうした課程をクリアしながら、目的でもある言語能力の獲得へと進んでいくわけです。

最初に効果が実感できるまでにはしばしば時間がかかります。子どもも楽しそうには見えないかもしれません。しかし療育の最初の到達点は親子とも療育を楽しく行うようになることです。そこまで行けば子どもの進歩は確実なものになります。ＡＢＡが楽しくなるまでは時間がかかるかもしれませんが、そこまでたどり着けば、成果が着実に上がってきます。

このように書くと大変そうに思えるかもしれませんが、後でもお話しするように効果はとても期待できますので、私は多くの保護者にＡＢＡをお薦めしています。

ＡＢＡを成功させるにはいくつかの重要なポイントがあります。細かいステップに分けること（スモールステップといいます）、手を添えるなどの援助（プロンプト）をして、失敗させないこと、できたことを「ほめる」ことなどです。スモールステップにすることで、ほめる回数は増えます。最初は動作模倣の場合でも手を添えて援助しますが、それでもうまくできたらほめることです。うまくいったら、プロンプトを少しずつ減らしてプロンプトなしでもできるようになるまでほめ続けます。

先ほどもお話ししたことですが、私は、言葉を話せない自閉症児に言語を獲得させる療育にも上限年齢のようなものがあるように思っています。個人差はありますが、言語の獲得という面からはなるべく４歳までにスタートすることを勧めています。６歳までに単語の出ない子が７歳以上になってから突然話し始めることはまずありません。言葉を話させようと思ったら、できるだけ早く個別療育を始めましょう。

取り組みが広がるＡＢＡ

関西で臨床心理士の藤坂龍司さんが始めた「つみきの会」（http://www.tsumiki.org/、図５－８）が自閉症の子どもを抱える親たちや医療関係者と協力して活動を行っています。同会では、ＡＢＡの療育法を紹介するＤＶＤや教本を出したり、全国各地で親の会を開いたり、講習会を開いたりもしています。ＤＶＤと教本を使えば、独力でＡＢＡを始めることもできます。また、入会すれば、全国の会員にメールなどで相談することもできます。同じ悩みを抱えている会員からのアドバイスに勇気づけられることも多いようです。

しかし、こうした取り組みにもかかわらず、わが国でのＡＢＡの普及はまだまだ十分ではなく、アメリカに渡って療育を受けている場合もあります。ＡＢＡは個別療育であるために、情報が得られれば挑戦している方は、どこの地域にもいると思います。「つみきの会」も全国に多くの支部ができており、活動しています。

『えっくんと自閉症』（末吉景子著、グラフ社）という本が2009年に刊行されました。物語は、アメリカ国籍を持つ末吉さんのお子さん（えっくん）が自閉症と診断されたところから始まります。日本では十分な療育が受けられないことから、末吉さん親子はアメリカに渡ります。そして、苦労をしながらABAをはじめとする療育を受けることによって、以前はほとんど言葉を発しなかった、えっくんが話せるようになるという感動的な実話です。著者の末吉景子さんは私もお目にかかったことがありますが、それまでの苦労をあまり感じさせないような魅力的な方です。わが子が自閉症と診断されたら一読をお勧めします。

ニューヨーク、カリフォルニア、フロリダなどのアメリカの一部の州では、自閉症と診断された場合、公費でプロのセラピストによる療育を受けられるようになりましたが、わが国ではまだABA自体が知られていないという現実があります。最近では、日本でも一部の幼稚園で教育にABAの原理を取り入れるところも出てきましたが、ABAの自閉症療育は基本が「個別」ですので、集団の中での個別療育ではなかなか十分とは言えません。やはり家庭での個別療育が一番重要ということです。しかし、共働きの家庭では充分な個別療育ができません。そこで集団での療育と個別での療育を併用する試みとして、児童デイサービスでABAを行う試みを私も支援していますが、そうした施設はまだほとんどありません。

日本でも、プロのセラピストによる療育サービスを実施しているチルドレン・センター（http://children-center.jp）や、慶應義塾大学の学生団体から始まり、大学生をセラピストとして派遣しているＡＤＤＳ（http://www.kdds.jp/adds/）など、有料のＡＢＡの療育サービスを行っているところも増えてきています。

60～70％の症例で改善が見られたＡＢＡ

私の経験では２歳６ヵ月児以上で言葉を話すことのできない自閉症の場合、２～４歳までに療育を始めることができれば、60～70％は、動作模倣や音声模倣ができるようになると感じています。動作模倣や音声模倣ができるようになれば、言語的なコミュニケーション能力の獲得が期待できます。ただし私は、ＡＢＡの特性の中心は、非言語的コミュニケーションよりは言語的なコミュニケーションの発達を促すことにあるという印象を持っています。実際にアメリカでの調査でもＡＢＡでは言語的なコミュニケーションの発達には大きな影響を与えるものの、非言語的コミュニケーションについての改善は少なかったという報告もあります。これらを考えあわせても私はＡＢＡを勧めています。最大の理由はＡＢＡの有効性についての科学的な報告がアメリカでもわが国でも出されていることで、この点は他の療育方法と異なります。

家庭でロヴァース法を行う場合には、週に30〜40時間のトレーニングが推奨されていますので、心理的・時間的負担が大きくなります。ただし、これに満たないからといって効果がないわけではありません。週に20時間に満たない療育にとどまっていても、それなりに効果の見られる場合もあります。しかし個別療育で成果をあげるためには、一定時間の持続的なトレーニングが不可欠ですので、保護者には、最低でも週14時間のトレーニングをしてくださいとお話ししています（訓練時間には休憩や遊びの時間も含まれています）。

セラピストを依頼すると費用が高額になることや、必ずここまで伸びると保証できるわけでもないことから、私は基本的には家庭で保護者がＡＢＡの療育を行うことを勧めています。しかし療育には心理的、時間的な負担もあり、行き詰まることも多いので、仲間を作ったり、時には専門家に助言をしてもらったりすることも大切です。

家庭でのＡＢＡを原則通りに家族だけで行った場合には、途中で挫折することが少なくありません。約半数が挫折するというお話をうかがったこともあります。ですから相談できる相手や場所の存在はとても大切です。私の外来では、家庭でＡＢＡを行っている方も多く診察していますが、ときどき外来で評価をする、行き詰まっている課題の解決方法を一緒に考えるなどのお手伝いをしていると、開始してから1年後にＡＢＡを続けていられる割合は80％を超えます。やはりサポートは必要です。

ＡＢＡの抱える問題

ＡＢＡには、そのほかにも課題はあります。「ＡＢＡを続けてきて、指示を理解したり、指示に従ったりすることができるようになったものの、自発語が出てこない」とか「自発語は出るようになったが、会話にならない」「保護者やセラピストの指示の理解や対応には問題がないが、場面や人が変わると対応できない」などです。特に小学校入学が近くなってくると、時間的余裕がなくなり、なかなか成果があがらず、いらいらする人も増えてきます。ＡＢＡを始めた頃は目に見えて成果があがっていたのに、トレーニングを続けていくうちに発達が止まってしまったように感じて焦っていることもあります。そうなるとＡＢＡ以外の治療法を探したいという気持ちになってきます。実際、外来でもそのような相談をよく受けます。

誤解しないでいただきたいのは、これらの問題が起きるのはＡＢＡがよくないからではなく、ＡＢＡを行い、効果が出てきたから新たな問題も出てきたということです。自発語を話すことができるまでに発達したから次の課題が見えてきたのです。私のところでは、ＡＢＡに行き詰まり感を覚えた保護者には相談を行い、あとから説明するＶＢなどの療育法を紹介するなどの対応をとっています。

ケース3

6歳の男の子です。3歳のときに言葉が出ないということで私のところに紹介されてきました。クレーン現象や常同行動に加えて、自分の手に噛み付くという自傷行為も見られました。実際のけいれん発作はありませんでしたが、脳波の検査では、てんかん性の異常が見られていました。

両親が自閉症を疑ってインターネットで検索したところ水銀が自閉症の発症と関連があるという情報を見つけました。髪の毛をアメリカの会社に送って検査をしてもらうと、水銀の濃度が高いというデータが送られてきました（水銀の問題についてはあとでお話しします）。水銀除去も考えられていましたが、まずはABAをお勧めし、「つみきの会」に入会、平日は母親、土日は父親による療育が始まりました。

開始後1ヵ月、母親は疲れきっていましたが、子どもの自傷行動はほぼ消失しており、簡単な動作模倣（ばんざい、手を振る）もできるようになっていました。子どもがとても伸びていることをお話しすると笑顔を見せて「続ける」と話していました。2ヵ月後には単音の音声模倣（「あ」と「え」）ができるようになり、半年後には「わんわん」「ジュース」が言えるようになり、その後まもなく待望の「ママ」が出ました。行動の強化には当初は小さなチョコレートを使っていましたが、このころにはおもちゃの携帯電話やミニカーの消防車で遊ぶなどになっていました。

最初のころにはそばに人がいても、物に対する興味が中心で、診察室でも私に興味を示すことはありませんでしたが、このころにはおもちゃを私に持ってきたり、見せたりもするようになりました。現在は、簡単な会話は可能になっており、言葉による指示にもほぼ従うことができます。

５歳のときから近くの幼稚園に通うようになり、ＡＢＡは自宅に帰ってから行っていました。幼稚園では母親がシャドー（園生活に付き添うこと、これも後でお話しします）につくことによって、大きな問題もなく過ごしていました。４月に小学校入学を控えています。10月の就学時健診では、自分で話す言葉が少ないこと、自分の世界に入ってしまいがちなことなどから特別支援学級を勧められましたが、両親は小学校でもシャドーを続けながら何とか通常学級で学ばせたいと強く希望されており、その方向で私も加わって小学校との話し合いも始め、通常学級に入学が決まりました。

ＡＢＡとＴＥＡＣＣＨの関係

繰り返しますが、ＡＢＡとＴＥＡＣＣＨは対立するものではありません。十分に共存できると思いますし、それぞれの良いところを活かすこともできるはずです。しかし質的に異なる部分もあることはこれまでにお話しした通りです。その部分について表現を変えてお話ししたいと思います。

サッカーの試合では地元で行うホームと相手の本拠地で行うアウェイがあります。ＡＢＡの場合には、個別であること、長い時間行うこと、幼児期が中心であることからホーム（家庭）で行うことが多くなりますし、そのほうが生活面でのさまざまな応用もしやすくなります。

一方、TEACCHでは集団にも対応しやすいことからアウェイである通所施設で行うことが多くなります。もちろん家庭でも構造化をすることによって生活能力を上げることが可能ですが、この面ではABAのほうがより効果があると考えています。

私はABAをお勧めする場合であっても、構造化によって子どもが過ごしやすくなる、落ち着きやすくなることは少なくないので、TEACCHの併用をお勧めすることがあります。特に小学校入学後には、TEACCHのスケジュールの可視化やワークシステムをABAのスモールステップの方法に応用して支えていくなど、この両者は融合可能だと考えています。

日常生活や遊びの中で学ぶVB

VB（Verbal Behavior）もABAの一つの方法で、言語機能の獲得とそれを行動に反映させることを重視した療育法です。要求を言葉で表すことで問題行動を減らすなどを特徴としています。VBの基本はマンド（Mand）です。マンドはDemand（要求する）から出た造語と言われており、「……がほしい」「……してほしい」などの言語的な要求を意味します。VBでは、遊びや日常生活を通じてマンドを引き出していきます。マンドによって要求したものを手に入れることができるようになれば、次の段階として、「ありがとう」などの応答までつなげていきます。

ＶＢではマンドを遊びや生活の中でなるべく多く引き出し、自発語を十分に伸ばしてから、その応用として机上課題に取り組みます。ＶＢは、言葉を使って要求したり、他者の言語による指示を理解する訓練を中心に行われるので、基本的には、子どもがある程度言葉を理解できて、自発言語もある場合に有効かと考えています。しかし、自発言語がない場合でも応用可能であるとのことです。

ＤＴＴとの大きな違いは、ＤＴＴでは最初に動作模倣や指示の理解、音声模倣などを子どもとセラピストあるいは保護者が机をはさんで始めますが、ＶＢではマンドを優先し、子どもの最も受け入れやすい遊びの中で言葉を習得することを目指しているので、机上の課題はその後になります。わが国ではオーティネット（http://auti-net.org）などが推進しています。

私の外来では、最初はＤＴＴで、その後ＶＢを始める方をよく見かけます。ＤＴＴである程度のコミュニケーション能力を身につけたが、要求語が出ない、動作での要求がうまくいかないなどの場合には、試みる価値があると思います。最初からＶＢで行うという考え方もありますし、アメリカではそのような方法もしばしば見られるようです。しかし、私は子どもに向き合うという点でＡＢＡは優れていること、ＶＢはわが国ではまだ広がりが少なく指導者も少ないということも含めて、最初はＤＴＴを勧めています。

絵カードを渡して要求を伝えるPECS

ＰＥＣＳ（Picture Exchange Communication System…絵カード交換式コミュニケーションシステム）は自閉症児をはじめとする発達障がい児のためのコミュニケーション指導方法の一つです。言葉の出ない、あるいは少ない自閉症の子どもたちのコミュニケーション能力を、音声言語以外の（この場合は絵カードが中心になります）手段も使って獲得させようというものです。

最初は代替コミュニケーションとして１枚の絵カードを渡すことから始め、トレーニングが進むにつれて構文カードを使った指導も出てきます。全体を６つの指導段階（フェイズ〈phase〉）に分けています。最初は目の前で１枚の絵カードを渡すことで要求する指導から始めて、次いで離れた人のところに絵カードを持っていく、たくさんの絵カードの中からカードを区別し、選択して要求する段階になります。フェイズ４からはカードを使った構文の指導や発語を促す指導も始まります。

ＰＥＣＳはアメリカのボンディ博士らによって始められました。わが国では筑波大学の園山繁樹教授や、児童精神科医の門眞一郎博士をはじめとして多くの研究者、実践者が出始めています。ＰＥＣＳの日本法人であるピラミッド教育コンサルタントオブジャパン（http://www.pecs-japan.com/）が講習会や情報を提供していますし、教材の販売も行っています。

絵カードは枚数が多く、すべてを保護者が作るのは大変なので市販のものを使うこともありますが、最初は家庭内に実際にあるものをデジタルカメラなどで撮影して印刷し、カードに貼って使うことをお勧めしています。わが国では、しばしばＴＥＡＣＣＨと組み合わせて行われています。またＰＥＣＳはＡＢＡの手法的側面を持つとともにＡＡＣ（Augmentative and Alternative Communication…拡大代替コミュニケーション）の一部でもあります。

ＡＡＣには大きく分けて、非エイド・システムとエイド・システムの２つの種類があり、非エイド・システムとは機器や道具を必要としないシステムで、代表的な手法として身振りや手指サインなどがあります。エイド・システムは何らかの機器や道具を用いるシステムで、代表的なものに、ＰＥＣＳ、コミュニケーションブック、音声出力装置（Voice Output Communication Devices：VOCA）などがあります。用具や支援機器などについては、Arcadia（http://www.arcadia.co.jp/pictureaid/）が、さまざまな商品を出しています。

私の印象では、ＰＥＣＳはセラピストではなく保護者が行う場合でもＤＴＴよりは時間的・心理的負担が少なく、知的な発達段階の程度にかかわらず応用しやすいという特徴がありますが、音声言語の獲得という面ではＤＴＴよりは劣ると感じています。ですから私は当初はＤＴ

Tを試み、それを続けていても指示の理解や言葉の獲得、コミュニケーション能力の獲得などがうまくいかない場合、特に達成感が得られないために保護者が焦りを感じてくる場合にはPECSを勧めることもあります。

その他の療育法

HAC（Home program for Autistic Children）プログラムは、聴覚課題から行動課題へとステップを分けて自閉症児の行動を変え、身辺自立は目標とせず、コミュニケーション能力の獲得を目指す方法です。獨協大学の海野健先生たちが推進しておられます（http://homepage2.nifty.com/hac2001/index.html）。

私は、HACの療育を受けている子どもたちを診た経験は少ないのですが、知的能力の高い群に比べて低い群での発達の向上が劣る印象があります。しかしABAほど長い時間がかからないこと、そして身体や視聴覚を含む重複障がいの場合にも利用可能と思われます。

わが国独自の自閉症の評価や療育方法として太田ステージも用いられてきました。自閉症に長く携わっておられる太田昌孝先生を中心としてまとめあげられたものです。ステージ1から4に分けて自閉症の評価とその段階にあった療育を目指すものです。毎年研究会（http://

kokorosci.web.infoseek.co.jp/p04_2.html）も開かれており、都道府県の発達障害者支援センターや各地の特別支援学校などでもこの方法を取り入れているところは少なくありませんが、環境設定という面ではTEACCHのほうが優れており、個別療育という面では国際的な評価も含めて今までお話ししてきたようなABAが中心となりつつあります。

RDI（Relationship Development Intervention）は、現在ヒューストンで仕事をしているガットスタイン博士たちによって開発された自閉症への療育方法の1つです。言語的なコミュニケーションよりも、特に導入部分では非言語的な能力の向上を目指しています。自分との関係で周囲をモニターすること、経験の共有、問題解決など柔軟で総合的な知的能力の発達を促進させることによって、自閉症の症状の改善を目標としています。RDIではこれをダイナミック・インテリジェンスと呼んでいます。この獲得によって、対人関係能力や社会性、変化への対応力などを伸ばします。わが国では名古屋の白木孝二先生が認定コンサルタントとして活躍しておられます（http://www10.atpages.jp/~rdishiraki/index.php?FAQ）。また名古屋では毎月保護者のためのRDIの勉強会、療育関係者のための勉強会も開かれているとのことです。しかしRDIを指導してもらうための機会やセラピストが少ないことが課題です。

SST（Social Skills Training…社会生活訓練）は学童期以降、場合によっては幼児期にも対応可能な療育方法です。私は言語的コミュニケーションを獲得し、言語的指示が理解できるようになってから応用しています。基本的には望ましい行動を獲得、強化し、望ましくない行動を減らす、場合によっては破壊的行動を消去するという、ＡＢＡとも共通するところの多い行動療法の一つであり、多くのテキストブックが出ています。私は外来診療の場でもＳＳＴをしばしば行っていますし、薬物療法はなるべく行いませんので、学童期以降はむしろそれが診療の主体となっています。

そのほかの方法として、いろいろな体の動きを通して、さまざまな感覚刺激に対して適切に反応する力を養う感覚統合療法も行われています。わが国では日本感覚統合学会（http://www.si-japan.net/）などの団体があり、作業療法士が中心となって行っています。比較的多人数に対して実施できるという点が評価されて普及していますが、私の印象では、個々のコミュニケーション能力の獲得という面では十分ではないと感じています。

ポーテージ（Portage）プログラム（療法）は、自閉症に限らず、知的障がい児や重複障がい児に対しても１９７０年代から行われている療育方法です。これは最初にこの療育が始まったアメリカの小さな都市の名前から名づけられていますが、子どもの状況を「乳児期の発達」「社会性」「言語」「身辺自立」「認知」「運動」の６つの分野に分けて、それぞれの分野で子どもの持つ問題点にアプローチし、対応していく方法です。わが国では日本ポーテージ協会（http://www.ne.jp/asahi/portage/japan/）が中心となって活動しており、この方法を取り入れた療育施設もあります。ダウン症などの療育にも有効と考えられます。

私の印象では、自閉症に限って言えば、コミュニケーション能力の獲得という面ではさきにお話ししたさまざまなプログラムのほうが効果は大きいと思いますが、障がい児全体に対する療育プログラムとしては優れていると思います。

私が勧める療育法

ＴＥＡＣＣＨ、ＡＢＡをはじめとしていろいろな療育法を紹介してきました。次に、実際に私がどのような療育方法を選択しているのかについて少しお話ししましょう。

療育開始にあたっては、まず子どもたちの行動を観察します。注目するのは、新しい場所への慣れ、人に対する興味や関心の有無、何ができて何ができないかなどです。

一定時間、子どもたちの行動を観察すれば、子どもたちの知的能力と言語能力も、自然とわかってきます。そして観察結果で得られた情報をもとにして、療育の基本方針を決定します。

●２歳児の場合

基本的にはＡＢＡ。ＡＢＡに抵抗がある場合や、療育を始めてからうまくゆかず、すぐに挫折してしまう場合には、ＰＥＣＳやＴＥＡＣＣＨも考えます。ＰＥＣＳやＴＥＡＣＣＨによって療育に慣れたらＡＢＡに戻るように勧めています。

●３歳児の場合

言語理解が少し可能であれば、急激な伸びが期待できるのでＡＢＡ。目も合わず、指示も通りにくい状況であれば、療育による達成感が得られないためにすぐに挫折するリスクも高いので、最初はＰＥＣＳを勧めています。療育に慣れてくれれば、可能な限りＡＢＡに戻ります。

●４歳児の場合

基本的にはＡＢＡ。知的能力が低いと考えられる場合にはＰＥＣＳかＴＥＡＣＣＨ。

このように、私が勧めている療育は、ＡＢＡが基本です。

そうは言っても保護者の状況（療育に十分な時間が取れない、経済的な問題など）や、環境（子どもの数が多く、療育に集中できない）などの問題もあるので、個別の事情を配慮して対応しています。最初から訓練プログラムを固定化するのではなく、療育を開始してからの様子を見ながら、各人にあった療育法を選ぶようにしています。

意気込んで療育を開始しても、効果が実感できずに達成感が得られない場合もあります。そのような場合には、とくに家庭での療育は挫折しやすくなります。ＡＢＡがイチ推しだとしても、達成感が得られずに挫折しそうな場合には、それにともなって療育をあきらめてしまう可能性があるので、とりあえず達成感の得やすいＰＥＣＳなどを勧めることになります。

　これは私の印象に過ぎませんが、投資の世界と療育はある意味で共通する面があります。リスクの高い投資は、失敗したときの損失も大きくなりますが、うまくいったときの報酬は大きくなります。一方で、リスクの少ない投資は、損失を被るリスクは小さくなりますが、大きな報酬も得られないのが原則です。

　療育で、投資のリスクに相当するのが、時間と労力です。個別療育では時間と労力のかかる、いわば大変な方法のほうがうまくいったときの効果は大きいという印象があります。簡単な方法でも効果がないわけではありませんが、やはり得られる成果が少ないという気がしています。もちろん時間と労力のかかる方法には続けられなくなる、挫折するというリスクがあり、簡単な方法の場合には挫折のリスクも少なくなります。

　さきに話したように、現時点では、自閉症を根治する治療法は存在しません。一方で個別療育には成果があるのは経験的にわかっているのですが、時間と労力がかかります。また必ずしも１００％成功する保証はありません。

　こうなると、親としては「もっと何か手っとりばやくて簡単な別の方法はないものか」という気持ちになるのは当然です。しかし焦りは禁物です。最近は、自閉症児の親の不安につけこんだ民間療法やビジネスが少なくありません。こうした被害に遭わないためには、自閉症の治療法に関する正しい知識を持つ必要があります。以下、さまざまな治療法について説明します。

自閉症に有効な薬はない

自閉症自体に有効な薬剤はありません。最近30年間にさまざまな薬剤が有効であるという報告もあがりましたが、結果として科学的に有効性が確立されているものはありません。ですから自閉症に対する薬物療法は、自閉症との合併症や二次障がいに対する治療のためです。

小学生以上になれば、強迫性障がい、うつ病、選択性緘黙《かんもく》（家庭では話ができるが学校では話すことができないなど）などの、自閉症に加えて発生する二次障がいが起きることがあります。こうした二次障がいには有効な薬物療法があります。また、攻撃的な行動や睡眠障がいなどに対しては薬剤を使用することがあります。

自閉症児が併発することが多い疾患としては、てんかんが有名です。てんかんの患者に対しては発作の状況や脳波異常の種類に基づいて、抗けいれん剤（デパケン、テグレトール、リボトリールなど）の投薬治療が行われます。通常、朝晩の1日2回投与します。投薬治療にあたっては、薬物の投与量が正しく守られているか、貧血や肝機能障がいなど副作用が起きていないかなどを、医師が定期的に確認する必要があります。薬剤の血中濃度の測定などのために、定期的な血液検査が欠かせません。

副作用を恐れて投薬を中断する方もいますが、投薬するということは、そのメリットが副作用よりも大きいと考えられるからであり、自己判断での中断は勧められません。

また、自閉症とＡＤＨＤを合併している場合にはＡＤＨＤの治療薬としてのコンサータやストラテラを使用する場合もありますが、小学校入学前に使うことは多くありません。

私はなるべく薬物療法を行わない考え方ですが、それでも思春期以降の自閉症では、てんかんを含めて、薬物療法を行うこともあります。

次にお話しするＣＡＭ（補充代替療法）に位置づけられる薬物治療として、抗ウイルス剤や抗生物質などを投与した報告もありますが、効果があるという客観的な評価はありません。

補充代替療法

これまでにお話ししてきた療育は自閉症の症状とそれに伴う社会生活上の困難を軽減するためのものですし、薬物療法は主に二次障がいや合併症に対するものです。これら以外にもさまざまな治療法が示されてきました。これらの多くは補充代替療法（Complementary and Alternative Medicine：CAM）と呼ばれています。

ＣＡＭの定義は、アメリカでは「いくつかの薬剤、健康法、技術、食品などを用いた障がいや疾患に対する直接の医療的対応ではない治療法」とされています。自閉症においても実にさまざまなＣＡＭが提唱されていますが、現時点で有効性が科学的に証明されているものはありません。あるのは「試してみたら効果があった」という単発、あるいは小規模グループの報告が多く、条件をそろえての実施群と非実施群に分けての統計学的調査など、科学的に信頼に足る検証は少ないのが現状です。

保護者の方たちは熱心であればあるほど、これらＣＡＭについての情報を求めますし、試してみようとも考えます。これはわが国だけではなく、アメリカやヨーロッパなどでも同じです。アメリカでは自閉症に限らずＣＡＭは大流行です。

「他の子どもには効かなくても、わが子には効くのではないか？」――自閉症を根治する治療法がいまだ発見されていないため、未知なる治療法に期待するのもわからないではありません。「実際に試してみたい」というお話を聞いた場合には、特に不利益が大きくなければ頭から否定することもしませんが、個別療育などに比べれば、自信を持ってお勧めできるものがないのも事実です。次にしばしば話題となるいくつかのＣＡＭについてお話しします。

キレート療法の危険性

予防接種のワクチンに防腐剤として含まれている微量の水銀が、その使用開始の時期と自閉症の増加の時期が一致するのではないかという論文が出たことをきっかけとして、自閉症の原因は水銀をはじめとする重金属の蓄積であるという説が出ました。キレート療法は、こうした水銀原因説に基づいて、キレート剤という薬品を用いて水銀をはじめとする重金属を体外に排出する（これをキレーションといいます）療法です。過去、アメリカで、キレート療法で自閉症の症状が軽減するという報告があがったことがありました。

一方で、キレート療法を行った子どもが死亡した報告もあり、問題視されています。アメリカ小児科学会や日本小児科学会は「自閉症は、水銀の蓄積が原因で発症するという考え方には科学的根拠は乏しく、キレート療法が有効であるという科学的根拠はない」ことを明言しています。

キレート療法は簡単なものではありません。キレート剤によって体内から重金属を排出したあと、体内に必要な重金属を補充しなければいけません。キレート療法にはいくつかのやり方がありますが、多くは週末に60時間をかけてキレーションを行います。キレート剤を飲ませる方法が多いのですが、点滴で注入する方法もあります。点滴や飲ませ方も3時間おき、6時間おき、8時間おきなど、いくつかの方法があります。

効果については、あったという報告も今でもときどき出ていますが、キレート療法実施群と非実施群に分けた疫学的な統計調査で確認しているわけではないので、科学的根拠には乏しいと思います。

キレート療法を行っている業者の中には、毛髪に含まれている水銀の量を測定し、分析結果とキレート療法の適応を文書で通知するサービスを有料で行っているところもありますが、注意が必要です。

私の知っている自閉症児の親が、わらをもつかむ思いで髪の毛を送ってみると、数値に異常があり、キレート療法を勧める内容の手紙が返ってきました。サンプルを送付した保護者を何人も知っていますが、私が知る限り、キレート療法を勧める以外の結果は見たことがありません。

自閉症だからといって、血中や毛髪中の水銀濃度が高いケースは多くないことが明らかになっているにもかかわらず、このようなサービスを行うことは非科学的であり、商業的なものと言わざるを得ません。私のところにも「キレート療法を受けたほうがよいのか」と相談にいらっしゃる保護者も多いのですが、私は、キレート療法には、自閉症の原因や症状に関連する十分な科学的根拠はなく、それによる死亡も含めて治療そのものの危険性もあると考えていますので、キレート療法はお勧めしていません。

三角頭蓋

自閉症では、以前から脳や頭が普通よりも大きい場合があることが知られていました。一部には、頭蓋《ずがい》の形あるいは頭蓋の縫合に問題があるために、額が三角形状に突出する三角頭蓋となり、脳圧が高くなり、脳が十分に成長できないという考え方もあります。

三角頭蓋については、沖縄県立那覇病院脳神経外科の下地武義医師らが手術をされています。脳圧が高いかどうかを見るためにはＣＴ撮影を行い、三次元化して頭蓋骨を調べ、指で粘土を押したときにできるような指圧痕がたくさんあれば脳圧が高いと考え、骨を少し切り離すことによって、脳圧を軽減するという手術です。

手術によって自閉症の症状に対して効果が出るという報告もありますが、有効性は対照試験がないのでわかりません。ただ実際に手術によってイライラ感や眠れないという症状が落ち着いたというお子さんたちも拝見したことがありますが、手術による改善か、年齢が進んだことによる改善かどうかは判断できませんでした。

手術による大きな副作用は、脳そのものにメスを入れるわけではないので、全身麻酔などの問題を除けばないかとは思いますが、強いて言えば頭蓋骨を切り離すので、その後、頭を打たないように気をつける必要はあります。頭蓋骨は9枚の骨でできていて、生まれたばかりのときはバラバラなのですが、だいたい生後1歳を過ぎてすき間（大泉門といいます）が閉じ、そして2歳を過ぎるとヘルメットのように9つの骨が固まり、脳を守っています。それを切り離しますので、ヘルメットとしての効果が弱くなるということがあります。

三角頭蓋の手術が、自閉症の症状の改善に役立つという科学的根拠は確立していません。

日本自閉症協会でもコメントを出していますが（http://www.autism.or.jp/topixdata/sankaku20040921.pdf）、自閉症の症状の改善とは関係がないという考えです。

ＡＢＡなどによって症状に改善が見られていても、まだできることはないかと考え、手術を検討される方は少なくありませんが、基本的には科学的な根拠に乏しいことからお勧めしてはいません。

サプリメントの有効性は？

サプリメントに関してもいろいろあります。セントジョーンズワート（セイヨウオトギリソウの成分)、あるいは各種のビタミン剤など、いろいろなものが試されています。これらに関しても科学的な根拠があって有効性が確立されているものはありません。

プロバイオティクス（生体内で活性化する乳酸菌など）も取り上げられることがありますが、キレート療法などと同様に「効いた」という報告をインターネットなどで目にすることはありますが、それなりの費用もかかりますし、今のところお勧めできるような根拠はありません。

ビタミンについては、ビタミンA、ビタミンC、ビタミンB_6、葉酸など多くのビタミンが試されてきました。ビタミンB_6は私も処方することがありますが、はっきりと効いたと感じられることは多くはありません。言葉がなかなか出てこないという場合などに補助的に使うことがあります。有効性がどのくらいかの評価は今後の課題です。

GFCF（グルテン・カゼイン除去食）は有効か？

動物性タンパク質を摂らない、脂肪を摂らないなどの除去食も以前から多く試みられてきました。しかしさまざまな説が出ては消え、消えては出ての繰り返しで効果の確立されたものはありません。アメリカを中心として流行している方法にGFCF（グルテンフリー・カゼインフリー、小麦に含まれているグルテンや乳製品に含まれているカゼインを除去した食事療法）があります。これによって落ち着いてきたという報告を目にしたこともありますが、すべての自閉症を抱える子どもに有効であるという科学的根拠はありません。

しかし可能性があるのであれば試してみたいという気持ちも理解できるので、試してみたいと言われる方にはとりあえず1～2ヵ月やってみたらとお話ししています。効果が出たという報告の多くは1ヵ月以内ですし、その程度の期間ならば小麦と乳製品を摂取しなくてもそれほど大変ではないからです。このほかにもイースト除去食の有効性を強調している説もあります。これも同様にやってみるなら1～2ヵ月の間避けてみては、とお話ししています。

夢の治療

この章でお話ししたような苦労の多い療育ではなく、一度に自閉症の症状を取り去るような〝魔法〟はないものでしょうか。障がいに対して根本的な治療を行うためには、障がいの原因が物質的な裏づけを持って明らかになる必要があります。これは体の中や脳の中で何かの物質が足らない、過剰に存在しているなどの問題から、脳の組織に特徴的な変化（病理学的所見といいます）が見られるような場合までさまざまですが、具体的な原因が明らかになれば〝魔法〟の出現もありうるかもしれません。たとえば自閉症ではしばしばオキシトシンというホルモンに対する受容体（ホルモンの効果を発揮させるタンパク質）の異常が見られることが知られており、治療への応用も検討されていますが、まだ効果はわかりませんし、有効であるとしても劇的に効くのかどうかもわかりません。

染色体異常のひとつであり、自閉症の合併もしばしば見られるダウン症では、ダウン症における心理学的特性や脳の病理学的所見が認知症の1タイプであるアルツハイマー病に似ているところがあることが知られており、アルツハイマー病の治療薬がダウン症の行動や認知能力の改善に効果があるという報告が海外からも出ています。

しかし自閉症についてはまだ根拠のある物質的な裏づけがないために、夢の治療はありません。ですから将来、夢の治療が出たときに備えて、療育で少しでもコミュニケーションや社会生活への適応能力を伸ばしておく、これが現在できる最善の方法です。

第5章のまとめ

①療育は何歳からでもスタートできるが、できるだけ早いほうが望ましい

一定の年齢までに治療を開始しないと後遺症が残る先天性難聴や脳性まひと違って、自閉症療育には厳格な上限年齢のようなものは存在しません。しかし、開始時期が遅れると、言語の発達スピードも遅くなるため、できるだけ早期に開始することをお勧めしています。

②自閉症にはさまざまな療育法が開発されており、成果を上げている

本章では、TEACCHやABA、PECSを中心に現在行われている自閉症児を対象にした療育方法を、それぞれの比較や特徴も私見を交えながら解説しました。

※TEACCH……自閉症療育法の草分け的な存在。対応と環境の構造化を進めるアプローチ。自閉症児が理解しやすい道筋を提示することで望ましい行動に導いたり、自閉症児が行動しやすい環境を整えたりする。集団療育にも対応できる反面、個々の障がいの特性に応じた個別療育の対応ではABA、PECSに劣るという印象がある

※ABA……行動の段階を細かく分けて、お菓子やおもちゃなどの強化子(ごほうび)、プロンプト(援助)を用いて、望ましい行動を強化し、望ましくない行動を消去する。いくつかの流派があるが、代表的なものにロヴァース博士が開発した個別対応トレーニング(DTT)がある。通常、ABAといえばDTTを意味することが多い

ABAは、時間と手間がかかる反面、うまくいった場合の成果も大きい。集団療育には向かないため、ABAを実践している通所施設は少ない。私が推奨する療育法だが、保護者の負担も大きく、挫折することも少なくないため、専門医やボランティア団体などのサポートが必要とされることが多い

※ＰＥＣＳ……絵カードを用いたコミュニケーション指導法。１枚の絵カードからスタートして、複数のカードを組み合わせて徐々に複雑なことを教えていく。ＡＢＡに比べて、時間的・心理的な負担が小さい。反面、自発言語の取得という面でＡＢＡよりは劣るという印象がある

③補充代替療法は慎重に

自閉症には療育以外にも、数多くの補充代替療法（ＣＡＭ）があります。代表的なものとしては、キレート療法（水銀除去療法）や三角頭蓋の手術、ビタミンやＧＥＣＦ（グルテン・カゼイン除去食）などが知られていますが、科学的根拠は十分ではないものが多く、積極的にお勧めできません。

第6章

個別療育に取り組もう

本章では個別療育をスタートするにあたっての心構えや注意点について解説します。最初に、まず自閉症児（特に幼児期に言語の発達に遅れのある場合）に対して行う療育の目標について考えてみます。

現在の医学では、自閉症を根治することはできません。しかし、自閉症の特性が完全に消えなくても、なんらかの補助的手段で社会生活上の困難が軽減されれば、社会で暮らしていくことができます。すなわち個別療育の最終的なゴールは、自閉症児の社会的困難を克服し、最終的に社会人として自立できる状態に持っていくことにあります。

私が考える、大人になるまでの最終的な目標とは次のようなものです。

●自分に自信が持て、セルフエスティーム（自尊心、自分に自信が持てること）が高い状態を維持する

●社会で生活できるようになる

↓社会で暮らしていけるように、社会生活習慣を身につける

↓社会で暮らしていけるように、自分で収入を得るようになる

しかし、親の指示も理解できず、自発語もない自閉症児を抱えている保護者とすれば、子どもが社会人として自立する姿などは、とても想像がつかないでしょう。しかし、可能性はゼロ

ではありません。長い道のりになるかもしれませんが、早期に適切な個別療育を行えば、この子が直面する社会的困難を乗り越えることができるかもしれないのです。

自閉症の障がいと社会的困難の関係

自閉症における障がいと社会的困難について、私は以下のように考えています（図6－1）。

- 中核群（Core）自閉症の診断基準を満たす症状があり、大きな社会生活上の困難を抱える
- グレイゾーン（Gray Zone）自閉症の症状があり、軽度の社会生活上の困難を抱える
- 周辺群（Category）自閉症の症状はあるが、社会生活上の困難は明らかではない

3歳までの時点で言葉が満足に話せずに自閉症と診断された場合、将来大きな社会的困難を抱えることが予測されますので、当然、自閉症の中核群（Core）になります。もし、療育によって5歳で指示が通るようになり、自発言語が出てきたとすれば、コミュニケーション能力がついてきたことになり、他人との関わりも持てるようになりますからグレイゾーン（Gray zone）に入ります。さらにコミュニケーション能力が高まり、幼稚園に通って小学校の通常学級に入ったとすれば、周辺群（Category）になります。このように、自閉症の3区分は症

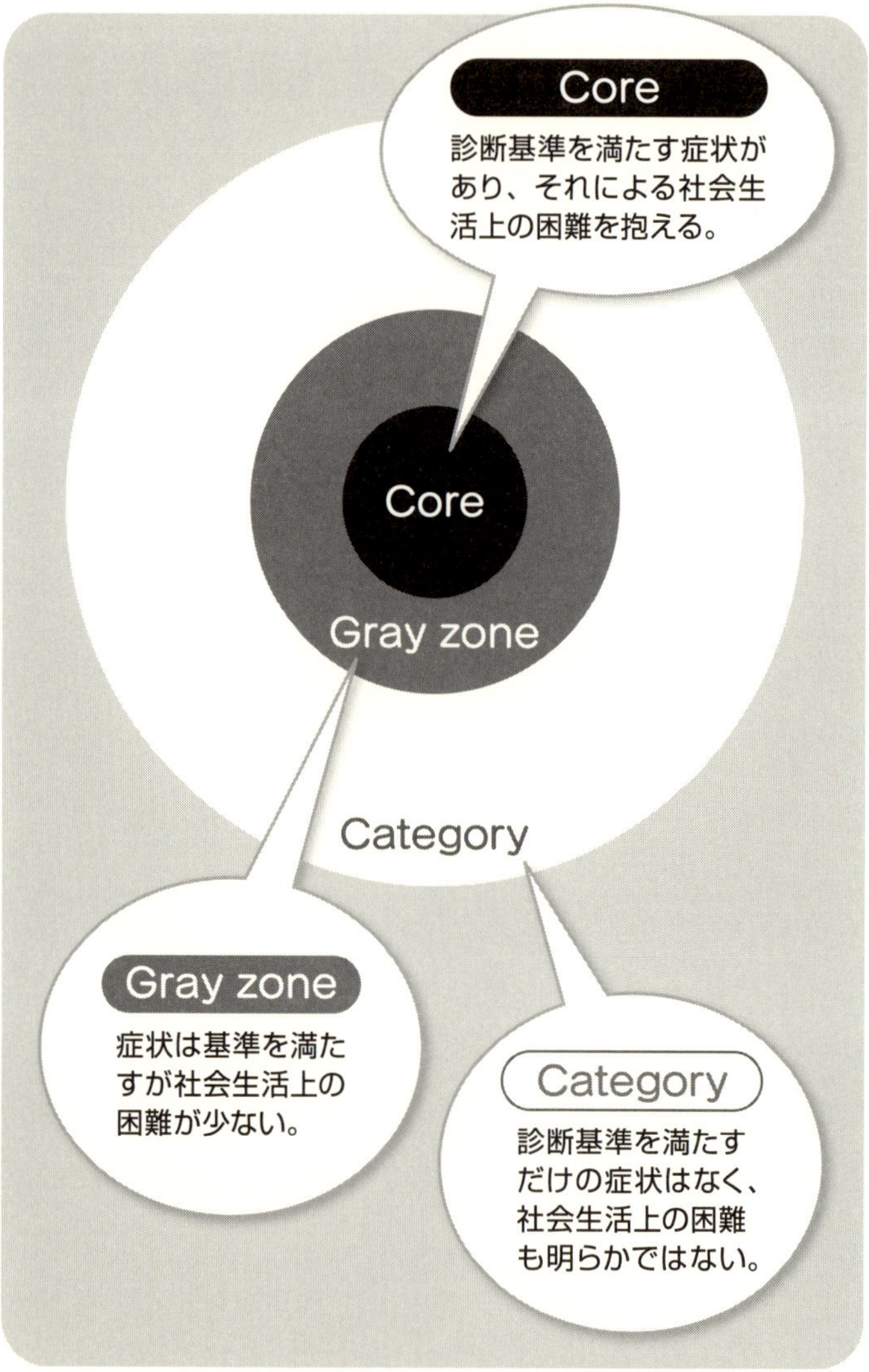
Core
診断基準を満たす症状があり、それによる社会生活上の困難を抱える。
Core
Gray zone
Category
Gray zone
症状は基準を満たすが社会生活上の困難が少ない。
Category
診断基準を満たすだけの症状はなく、社会生活上の困難も明らかではない。

図6－1　自閉症の障がいと社会的困難の関係

状の強さというよりは、社会的困難の程度によって分類されます。

私は、Coreから、Gray zoneを経てCategoryに移動させることが療育の目標だと考えています。しかしCategoryにたどりつけばそれで終わりかというとそうではありません。特に思春期以降にはせっかくCategoryにたどりついたのに、学校での問題や二次障がいをきっかけとしてGray zoneに、時にはCoreに戻ってしまうこともあります。自閉症を抱えた子どもたちが、思春期にしばしば陥る不登校やひきこもりの問題もこのような位置づけで考えています。

さらに遺伝的な問題を考えるときにも、このCoreとGray zoneとCategoryという考え方は大切です。これまで約30年にわたって多くの自閉症児を診察してきましたが、子どもが自閉症のCoreと考えられた場合、保護者にも同じような症状が見られる場合もあります。「自閉症の3つ組」などの診断基準からすると、保護者も、自閉症のGray zoneやCategoryと判定できるケースが少なくありません。

しかし、保護者は普通に社会生活を送っており、社会生活上の困難は明らかではないので、自閉症（高機能自閉症）という診断にはなりません。すなわち、現在、Coreの状態にある子どもであっても、社会生活上の困難を克服さえすれば、保護者のようになれる可能性があるわけです。

「焦らない」「あきらめない」「頑張らない」

自閉症の診断がついて個別療育を始めることになりました。いつから始めればよいでしょうか。第5章で説明したように療育の開始時期には上限年齢はなく、個人差はあるもののいつからスタートしても効果があると言われています。しかし、言葉の発達と取得の面から考えれば、遅すぎる場合もあるかもしれません。ですから「その気」になったら早めに始めましょう。

実際、アメリカでははっきりと診断がついていない段階でも、自閉症が強く疑われる症例であれば、個別療育を始めるように勧められることもあります。残念ながら、わが国では個別療育自体がまだあまり知られていないので、疑いの段階で療育を開始するケースはあまり多くはないようです。

療育にはいろいろな方法がありますが、ここでは基本的にABAの療育方法を例にしてお話をします。最初に療育を開始するにあたっての心構えについて説明します。私は保護者の方には、**「焦らない」「あきらめない」「頑張らない」**をこころがけるようにお願いしています。

図6－2　療育は焦りすぎてはいけない

●焦らない

療育はすぐに効果が出るものではありません。「焦り」は、特に保護者が療育を行うときにはしばしば陥る「わな」です（図6－2）。ある日効果が出たと喜んでいたら、次の日あるいは次の月にやってみると、同じことができなくなっていることもよくあります。そうなると焦りが出てきます。

焦りがあると十分に時間をとり、ゆとりを持って子どもに接することができなくなり、結果として療育がうまく進まないという悪循環が生まれます。特に、ABAでは、始めてから1～2ヵ月の間はうまくいっていたのに、そのあとパタッと進歩が止まってしまったように見えることがよくあります。しかし、焦ってみたところで療育の効果は簡単には出てきません。焦りそうになっている自分に気がついて落ち着く、それが大切です。

●あきらめない

焦りのあとに多く出てくるのはあきらめです。特に療育を始めて3～4ヵ月経ってうまく伸びないときに、「ABAではもう駄目なのではないか」と考えてしまいがちです。そうすると、ABAをあきらめて別の療育法に乗り換えたいという誘惑にかられます。最初のうちはせっかくうまくいっていたのに、少しうまくいかないとあきらめてしまうわけです。

実際、療育を開始してから数ヵ月も経つと、「療育がうまくいかない」とお話しされる保護者も多いわけですが、私から見ると、その原因はＡＢＡそのものの問題というより「強化がうまくいっていない」ことが多いように感じられます。ＡＢＡの療育では望ましい行動に誘導するためには、強化子（ごほうび）をいかに使うかが重要な意味を持ちます。強化子をうまく使えないために、強化がうまく進まず、その結果、療育の効果があがらないことはよくありま す。端的にいえば、期待するごほうびがもらえないから子どもが協力しないというわけです。

どうしても保護者の方は、短期間で目に見える効果を求めてしまうため、正しい療育が行われているかを検証することなく、「うまくいかない」という結果だけに目を向けがちです。ＡＢＡのトレーニングを専門にしているセラピストの方に話を聞くと、療育の効果があがる強化子を見つけるために、道を歩いていても、夜寝ていても、始終、どんな強化子が使えるかをよく考えているそうです。強化子には食べ物だけではなくて、おもちゃなど、いろいろなものがあります。「つみきの会」代表の藤坂さんは、よくシャボン玉遊びをさせています。くすぐる、絵本を見せる、携帯電話のおもちゃに触らせるなどの行動による強化子も意外によく効きます。

ＡＢＡは強化子をうまく使うことによって自閉症児に望ましい行動を習慣づけるものなので、療育がうまくいかないときには、まず、あきらめるよりも強化がうまくいっていないのではないかと考えることが大切です。

●頑張らない

これも、とても大切なことです。日本人は頑張るのが大好きな国民ですから、何かあるとすぐ「頑張って」と言います。サッカーなどでの「頑張れニッポン」コールはよく耳にしますね。しかし療育は、いわば長い道のりをずっと歩いていくようなものですから、あるときだけ頑張っても、そのうちに息切れしてしまいます。息切れして座り込んでしまっては、なかなかうまくいきません。

頑張るのではなくて、楽しんで長くやることです。頑張る療育はどうしても時間的にも心理的にも負担が増えますので、親も子どもも疲れてしまいます。

ですから「頑張ります」と保護者の方たちが話されるときには、私は「頑張ろうと思わないでください。一つひとつ、とにかく積み重ねるしかないのです」とお話ししています。とにかく根気よく積み重ねることです。療育には植木の剪定《せんてい》と同じところがあります。良いところを伸ばし、伸びては困るものを摘み取るわけです。それがＡＢＡでいえば強化であり、消去です。頑張ると意気込んでいるだけの療育は長続きしません。

療育をするのはセラピスト？　それとも保護者？

第5章でもお話ししましたが、ＡＢＡに限らず、療育はセラピストが行うか、保護者が行うかという問題が常についてきます。社会資源や経済的な問題などを無視して考えれば、セラピストが療育を行うほうが良いのかもしれません。セラピストは客観的に見ることができますし、計画的なトレーニングを継続できるので、途中で療育が挫折するリスクは少なくなります。しかしセラピストを頼むと経済的負担が大きくなるため、なかなか普通の家庭では依頼することが困難です。そうなると、現状はやはり保護者が主体になって行うことが中心になります。

セラピストでなくてもＡＢＡのトレーニングは十分可能です。実際に、私も保護者がＡＢＡを行って、大きな効果があがっている子どもたちを何人も拝見してきました。

ただ、家庭での療育は行きづまったときの相談相手がいないことや、保護者の体調不良なども含めて挫折しやすいという問題があります。その意味でも第5章で紹介した「つみきの会」のような親の会に入り、成功例、失敗例を含めて全国の会員から意見やアドバイスをもらうことをお勧めしています。また、わが国よりはアメリカのほうが自閉症療育の必要性が広く認識されており、公的な機関でのセラピストの働き場所があることから、アメリカで活躍している日本人のセラピストも増えています。その中には、自閉症ドットコム代表の塩田玲子さんのように、メールなどを使ってのサポートに協力してくださる方も出てきています（http://plaza.rakuten.co.jp/shiota）。

共感と感情移入についても考えておく必要があります。たとえば子どもがつらい状況にあるときに、つらさを一緒に考えることは共感（シンパシー…sympathy）ですが、つらくて泣いている子どもと一緒になって泣いてしまうのは感情移入（エンパシー…empathy）です。療育に当たって、共感することは大切ですが、感情移入はしばしば妨げになります。

子どもがつらいときに、親は一緒に泣いてしまいますが、感情移入をしてしまうと、「どうしてできないの!?」と子どもを責めてしまったり、自分で悩んでしまったりということがあります。セラピストはプロですから、泣かないで、冷静に状況を判断し、どうやればうまくいくかを具体的に考えます。これも保護者とセラピストの違いです。

療育は教条主義ではない

自閉症の療育を行うにあたっては、「これでなければ駄目、これ以外のものは認めない」という教条主義的になることは避ける必要があると思っています。教条主義は宗教とある面で似ていて、その他の方法に対して寛容ではありませんし、排他的です。療育を勧める人たちの中には、その他の療育法を非難したり、攻撃したりしている場合もあります。またその他の療育法をよく知らないままで攻撃しているような場合すらあります。しかし、目的は子どもの能力を上げていくことで、その他の療育法を否定することではありません。

さきにお話ししたように、現在の自閉症療育は、自閉症のみに有効な選択性の高い治療法とは言えません。したがってどの方法にも限界がありますし、年齢や発達段階に応じて他の方法を取り入れる柔軟性が必要です。ですからさまざまな療育を知っておくことは大切ですから、第5章ではいろいろな療育法を紹介してみました。

ただしいろいろ知ってみたからといって、さまざまな療育法を少しずつかじってみることはお勧めしていません。じっくりと考えて選んだら、とにかくそれに集中することが大切です。ＡＢＡが大変だと感じたから、すぐに他の方法を探すというやり方では、その他の療育法を実行してみてもうまくはいかないでしょう。貴重な時間を浪費して、コミュニケーション能力を高めるチャンスをみすみす逃がしてしまうことになりかねません。

また教条主義的になって、周りが見えなくなってしまうと、さまざまな弊害が出てきます。教条主義的にならないためにも、迷わないためにも、療育を楽しく続けるためにも、身の回りに相談できる人がいることが大切です。

発達は階段状に伸びる

発達は、ゆるやかな坂道を登るように、いつも一定の割合で伸びていくものではありません。伸びが感じられる時期もあれば、感じられなくて焦りそうになる時期もあります。

子どもの発達は、一直線に伸びていくというものではありません。自閉症児の療育は、階段を長い時間をかけてジワジワ上るようなものです（図6－3）。ですからグッと伸びる時期は、階段を一段上がったと思ってください。しかし階段には踏みしろがありますから、そこにいるときには伸びは感じられません。そこでしばしば焦ってしまうのですが、目には見えていないかもしれませんが、子どもの中で育っているものがあるはずです。その時期を過ぎるとまた次の段をグッと上がるわけです。

保護者が子どもの発達のスピードに一喜一憂することはお勧めしていません。一喜はよいのですが、一憂は療育の妨げになります。発達の進展は規則正しいものではなく、まさに一進一退です。ある1週間、急激に何かができるようになった。たとえば音声模倣がよくできるようになった。そこで喜んでいると、その後1ヵ月ぐらいパタッと進歩が止まることがよくあります。しかしそこであきらめないで続けていると、その次には音声模倣が連続してできるように

図６－３　療育は長い階段を一歩ずつゆっくりと

なったりします。

伸びるときには気持ちよく伸びますが、止まって見えることもよくあることを、常に頭に置いてください。実は発達だけではなくて身長が伸びるときも同じようなことがあります。毎月身長を測定していると、ある時期には急に伸びるけれども、その後しばらくは変わらないということもよくあります。

わが子が「扱いにくい」と感じたら

「自分の子どもが扱いにくい」という表現は、20年ほど前に、児童虐待で相談に見えたお母さんとの面談で聞いたのが最初です。その後、このフレーズは、自閉症を含む発達障がいを抱えるお子さんを持つ保護者の口からも、ときどき聞かれるようになりました。

日本大学の花沢成一先生たちが報告されたように、人に対する感情を大きく分けると、接近感情と回避感情に分かれます。接近感情は、相手に近づきたい、好ましく思うという感情で、回避感情は、嫌いになる、遠ざけようとする感情です。

赤ちゃんを持つお母さんたちに自分の子どもに対する気持ちを聞いたことがあります。接近感情としては、「好きだ、かわいい、いとおしい、柔らかい、親しみやすい、抱きしめたい、あたたかい、うれしい、ほほえましい、わくわくする」などがあり、回避感情には、「苦しい、重い、嫌いだ、うっとうしい、うざい、わずらわしい、こわい、じれったい」などがありました。扱いにくいという感情は接近感情ではなく、回避感情です。子育ての間には接近感情と回避感情がめまぐるしく入れ替わりますが、基本は接近感情が望ましいのは当然でしょう。でもうまくいかないと回避感情が出ます。

私は、自閉症児のお母さんたちを対象とした講演で、「うちの子はよその子より１００倍かわいいと思って育ててください」と繰り返しお話ししています。自分の子が誰よりもかわいいと思っていること、信じていることが子育てには欠かせません。子どもが生まれたときには、誰しもそう感じていたことと思いますが、医師から自閉症と診断されたり、なかなか進まない療育に苦労していたりすると、つい回避感情が強くなり、扱いにくさを感じるようになります。

人間の感情は、時間がたつと醒めていくかというとそうではなく、増幅していきます。「坊主憎けりゃ袈裟《けさ》まで憎い」という言葉があるように、子どもが扱いにくいと思うと、その感情は「子どもは要らない」とまでエスカレートしていきます。

また、自閉症と診断されたわが子を「かわいそう」と考えることもあります。「かわいそう」も回避感情です。「かわいそう」の行く先に未来はありません。子どもが生まれたときのことをもう一度思い出してみましょう。「かわいそう」から「かわいい」に変えることです。そうでなければ療育は続きません。

療育を楽しく続けるコツ

療育は、特に保護者が行う場合には決して楽しいことばかりではありません。毎日目に見えて伸びていくわけでもありませんし、療育をしても、誰がほめてくれるわけでもありません。それでも、私は楽しくやりましょうと言い続けています。

昨日と違う今日、何か一つでも新たな発見ができれば、療育は楽しくなります。課題だけに捉われているのではなくて、子どもの小さな動き・表情・動作、そういったものをよく見てください。毎日少しずつでも何かが変わっています。

楽しくない療育は、結局、保護者のためにも、子どものためにもなりません。「指示を出してもできないのに、どうしてそれを楽しめるの？」と聞かれることもあります。「これだけ頑張っているのにうまくいかない」ともよく言われます。この章の最初にお話ししたように、頑張ることはお勧めしていません。頑張れば頑張るほど、頑張ろうとすればするほど、自分にプレッシャーがかかります。そうしたら……楽しいはずはありません。

楽しくするためにはいくつかのコツがあります。

●まあいいかと思うこと
●今日できなかったときには明日できればいいと思うこと
●寝る前に子どもの良いところを思い浮かべること
●自分にごほうびを忘れないこと

日々の療育には、まあいいかと思うことが大切です。いい加減という意味ではありません。療育がうまくいかない日もあります。自分の体調が良くないこともあります。むしろうまくいかない日のほうが多いかもしれません。それでも構わないのです。少しずつ積み重ねるしかありません。もう少し頑張ろう。それもやめたほうが良いと思います。10分なら10分、20分なら20分、決めた時間だけ療育をしたら、うまくいってもいかなくても、とにかく気分を変えることです。すなわち、予定していた療育が終わったら、そこで目に見える結果がついてこなくても、「まあいいか」と考えることです。

今日できなかったこと、それは明日できればいいと思うことです。明日できなければ、また次の日です。積み重ねていればいつかできるようになります。それを信じていなければ療育はできません。

寝る前に子どもの良いところ、かわいいところを思い浮かべてください。そして眠ることです。重要なのは一日の最後を「この子が好き」という、接近感情で終わるということです。もちろん生活や療育の途中では回避感情も当然何度も生じますが、寝る前という一日の最後が重要です。些細なことですが、それを続けるだけで、子どもに扱いにくさを感じたり、かわいそうと感じたりすることは減ってきます。逆に「今日もだめだった」と考えて眠るのでは、楽しい夢すら見られないと思います。

先ほども説明しましたが、療育をしている自分にごほうびを忘れないことも大切です。気持ちがひどく落ち込むこともあるでしょう。そんなときは、思い切って自分にごほうびをあげてください。ただ耐えているだけの療育は決して長続きもしませんし、楽しいものにもなりません。「子どもさえ何とかなれば」と話をされる保護者の方もおられますが、「家族あっての子ども」です。頑張らないで、焦らないで、あきらめないで続けるためには、ごほうびは大切です。

怒ることと叱ること

怒ることと叱《しか》ることは違います。療育においても子育てにおいても、「良くない行動に対して叱る」ということは必要ですが、怒る必要はありません。叱るということは冷静に、その行動のどこが、なぜ悪いかを見て、それを直すために行うことですから、子育ての間では必要なことです。

　これに対して、「怒る」は、「良くない行動や良くない結果に対して、自分が感情的になってしまう」ことです。感情的になってしまうことは誰しもありますが（特に自分の子どもに対してはそうですが）、怒ることは決して療育のプラスにはなりません。怒ると思わず手が出てしまうこともありますし、普段なら口にしないような言葉も出てしまいます。保護者の療育でしばしば陥る問題点です。

　また体罰を加えると、そのときはうまくいったように見えても、次にはうまくいかなくなります。「イヌイットは、犬ぞりを引く犬を育てるときに、決して叩かない」という話を聞いたことがあります。叩いて育てた犬は、結局自分の指示に従わなくなるし、チームワークを乱す。だから叩かないというのです。療育もそれと同じです。

　療育において、怒ることは自分の、そして子どものセルフエスティームを低下させます。ですから必要に応じて叱ることは必要ですが、怒ることは療育にも子育てにも必要ありません。

第6章のまとめ

①個別療育の最終目標は、社会的困難を克服し、社会人として自立することにある

ＡＢＡを始めとする個別療育の最終目標は、自閉症の症状を完全になくすことができないまでも、社会生活上の困難を軽減し、就労することも含めて、社会人として自立できる能力を身につけることです。鍵を握るのが、セルフエスティーム（自尊心、自分に自信が持てること）です。セルフエスティームの高い人は、自閉症の障がい特性を抱えながらも成功しているケースが多いように思います。

②焦らない、あきらめない、頑張らない

療育の道は長いので、途中で焦ってうまくいかないこともあります。私は療育においては「焦らない」「あきらめない」「頑張らない」の３つが大切であるとお話ししています。そして療育を保護者が行うのであれば、時には自分へのごほうびも欠かせません。

第7章

高機能自閉症をめぐって

これまでは言葉の遅れを通じて発見される幼児期の自閉症を中心に話を進めてきました。しかし第1章でお話ししたように、自閉症には、言葉の遅れや知的な障がいを伴わない高機能自閉症（アスペルガー症候群）というグループもあります。

言葉の遅れがある自閉症児は、医師から発達が遅れていると診断され、多くの場合には知能の問題を抱えると示唆されます。しかし高機能自閉症では、話す、聞くという基本的な言語能力には問題はありません。

言語能力に問題がある自閉症児を抱える保護者からすれば、療育によってわが子を高機能自閉症のレベルに引き上げたいと思うのは当然のことです。これはもはや夢ではありません。早期に適切な療育をスタートすることで、満足に話すことができなかった自閉症児が、他人と会話できるまでになったケースを、私はこの目で何度も見てきました。

第6章の冒頭でCategoryを目指すということを述べましたが、これは社会生活において困難を抱えることが少ない、高機能自閉症を目指すということになるのかもしれません。

高機能自閉症って何だろう？

前述したように、高機能自閉症とは知的な障がいがない、あるいは明らかではない自閉症です。多くは言葉の遅れを伴いませんので、乳幼児健診、特に１歳６ヵ月児健診や３歳児健診で発見されることはまれです。時に自発言語の遅れを伴うこともありますが、多くの場合は言葉も話すことができますし、他人が話している内容を理解することもできます。高機能自閉症の存在が明らかになり、診断できるようになったのは比較的最近のことです。現在20歳以上の高機能自閉症の人たちの多くは、子どものときには自閉症のグループとは診断されていません。

高機能自閉症は、先にもお話ししたように、５歳児の健診でしばしば発見されますが、最近では保育園や幼稚園などの集団生活の中で障がいが明らかになる場合も増えており、そこから診断につながることもあります。普通の子どもたちには見られない行動をとったり、同級生とうまくコミュニケーションがとれないといった理由で、保護者が心配したり、施設から医療機関への相談を勧められて、受診、診断される場合も増えてきています。

高機能自閉症を抱えている人は、言葉の理解などは良好でも、身振り手振りを理解する、相手の表情を理解するなどの非言語的コミュニケーションが一般的に苦手です。他人の感情を理解する、自分の感情を表現する、楽しい、悲しいなどの感情を共有する、これも多くの場合、苦手なことに入ります。

高機能自閉症では、４〜６歳のころには困難よりも才能の部分が先に出ることもあります。興味のあることに対する記憶力や集中力は優れているので、図鑑や地図などをまるごと覚えてしまうようなこともよくあります。虫のことなら何でも知っている、電車のことなら大人でも知らないようなことまで知っている、携帯ゲームでもあっという間に攻略法を覚えてしまい達人になる、などによって他の子どもたちから一目置かれる存在になり、集団生活での困難がはっきりとは見えてこないこともあります。

何かに秀でていると、コミュニケーションが下手なわりには、その集団の中で何とかなるものです。しかし幼児期から小学校低学年まではうまくいっていたとしても、思春期に入ると対人関係やコミュニケーションの問題から壁にあたり、困難に直面することが多くなります。

高機能自閉症児が幼稚園・保育園などで集団生活を送るようになると、次のようなことがしばしば問題になります（図7－1）。

●指示を出したときに指示を聞かないで、自分の世界に入っている
●集団でいるときに一人だけ別のことをしていたり、固まってしまったりする
●行動を起こすときに、一人だけスタートが切れない
●クラスの友だちとうまく遊べない
●何かうまくいかないことがあるとパニックを起こしてしまう

高機能自閉症は、ＡＤＨＤ（注意欠陥・多動性障がい）を合併していることも少なくありませ

図７－１　高機能自閉症児はパニックを起こしやすい

ん。自閉症の症状だけではなく、落ち着いていられない、衝動的に列や会話に割り込むなどのＡＤＨＤの症状が幼児期には前面に出ていることもあります。また運動面では、不器用さが目立つ（発達協調性運動障がいと呼ばれています）子どもが多いことも特徴です。このほかに、走るのが遅い、ぎこちなく走る、ボールを投げたり蹴ったりするのが下手などの症状もよく見られます。

高機能自閉症児の場合、障がいに対する認識が、家庭と外部とでギャップがあることが多いようです。幼稚園・保育園などでは、深刻な問題を抱えていると考えているのに対して、家庭では問題を認識していないので、なかなか両者の意思疎通はうまくいきません。私は高機能自閉症の診断がついた場合には、可能であれば保護者と幼稚園・保育園の先生に一緒にきていただき、子どもの障がいに対する共通認識を持ってもらうようにしています。こうすることで、その後の対応がスムーズに進みます。具体的な対応については、拙著『幼稚園・保育園での発達障害の考え方と対応』（少年写真新聞社）などをごらんください。

子どもの将来を考える

言語に遅れのある自閉症と、高機能自閉症との境界線はあいまいです。言葉も満足に話すことができない自閉症児が、個別療育によって高機能自閉症とよばれるレベルにまで能力を伸ばすこともあれば、高機能自閉症と診断された子どもが何の対応もされず、他人とほとんど意思疎通がとれない状態になることもあります。

幼児期に自閉症と診断されたからといって絶望することはありません。早期に適切な療育を行えば、言葉の遅れを取り戻し、高機能自閉症の水準までコミュニケーション能力が高まる可能性があります。

保護者の方たちが高機能自閉症の障がいを理解し、受容することができたら、私は小学校入学前であっても将来の話を始めます。たとえ、その時点の社会生活の困難がそれほど大きくなくても（すなわちGrey zoneやCategoryであっても）、自閉症の特性そのものは変わらないので、将来は困難に直面する可能性があります（Coreに戻ることもあります）。何もしないで困難をそのまま受け入れるのではなく、困難に直面する前から子どもの才能を見つける努力をして、将来の生活に役立てることを考える——療育には、こうした長期的な視点も必要です。

一般的に、自閉症の子どもたちには、理数系に強いグループと音楽や美術などに強い芸術系のグループがあります（10歳を過ぎる頃になると、はっきりわかるようになることが多いようです）。理数系、芸術系ともに強い場合、どちらとも苦手とする場合もありますが、こうしたことを事前に頭に入れて入学前から注意深く観察していくと、10歳より前に才能を見つけることができるかもしれません。

子どもの将来を考えるときには、ロードマップ（Road Map）を描くことをお勧めしています。ロードマップとは、長期にわたる作業を行う際の手順と目標を定めた行程表です。何歳までにどのような能力を身につけて、将来、社会人としてどのような人生を歩むのかを、具体的に考えるのです。私は、保護者の方と相談しながら、本人の適性にあった進学、職業選択などを考えて、ライフプランを考えていきます。

気が早いと思われるかもしれませんが、子どもはあっという間に成長します。今は5歳でも、6歳になれば小学生です。小学校では社会的な生活を送るための基本を身につけなくてはなりません。小学校高学年から中学校にかけては、才能を見つけるためにいろいろなことに挑

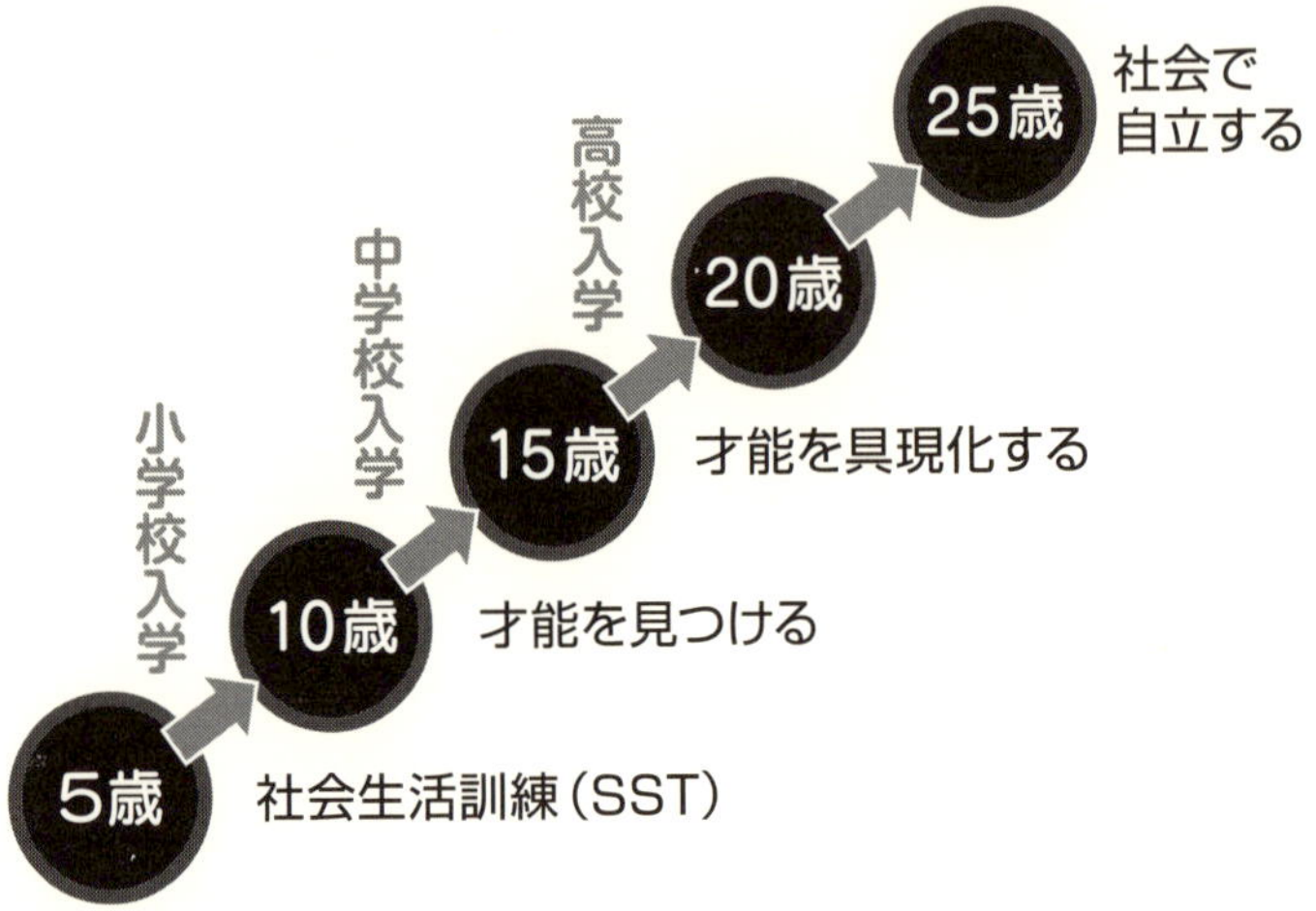

図7－2　療育がうまくいったらロードマップを作ろう

戦しなければなりません。ここで才能を見つけることが将来の展望につながります。

15歳を過ぎれば、多くの子どもたちは高校に入ります。ここでは才能を具現化し、将来の生活の糧《かて》とする目標を持つことが必要になります。そして25歳までに社会で自立する、これが目指しているロードマップです（図7－2）。

言葉がなかなか出てこない、指示がなかなか通らないという状況下では、ロードマップは遠い夢のように感じられるかもしれません。しかし、問題や障がいがあるにせよ、話したり、聞き取ったりする能力さえ身につけば、社会人として自立することも決して夢ではありません。最低限のコミュニケーション能力さえ身につければ、ロードマップは作成可能です。まずはそこを目指しましょう。

もし自閉症のお子さんがいて、療育を始めたころは前述のCoreの状態にいたとしましょう。将来、この子がCategoryになり、社会で自立できることが信じられなければロードマップは描けません。たとえ満足に言葉も話せない状態であっても、あきらめてはいけません。早期に療育を開始することで、将来、親に頼らず自立できるかもしれないのです。その可能性を保護者自ら摘んでしまわないでください。

遠い道のりかもしれませんが、まずはロードマップを描ける段階にまで引き上げる努力を続けて、子どもたちを支えていきましょう。焦ったり、落ち込んだりしている暇はありません。そのためにも今できる療育を一つひとつ積み重ねていきましょう。それが次の「目指せ！　第2の高機能自閉症」です。

早期療育で誕生した⁉　「第2の高機能自閉症」

最近、高機能自閉症（アスペルガー症候群）と診断される大人が増えていることが話題になっています。私のところにも、思春期や成人の高機能自閉症の方が受診されます。こうした人たちは、幼児期に集中的な個別療育を受けているわけではありません。何の訓練も受けていなくても普通に読み書きする能力はあるのに、さまざまな社会生活上の困難を抱えて外来を受診されます。この方たちが本来の高機能自閉症です。

一方で以前には考えられなかったことですが、ＡＢＡなどの個別療育を行うことによって、幼児期に知的障がいを伴う自閉症と診断されたにもかかわらず、高機能自閉症と診断されるほどに劇的に発達の促進が見られる子どもたちに出会うことがあります。今までの常識では、幼児期に言葉の遅れが見られる自閉症児には改善の余地はほとんどないといわれてきました。ところが、集中的な個別療育を受けることによって、言語能力を獲得し、それに伴って理解力やコミュニケーション能力を身につける子どもたちが出てきました。

私の身のまわりでも、通所施設での集団療育だけに頼っていたら、小学校はうまくいっても特別支援学級だろうと考えられていた子どもたちが、早期にＡＢＡなどの集中的な療育を受けることで言語能力や社会適応能力を獲得し、通常学級に入ることがあります。こういう子どもたちに対しては、もはや知的障がいという判定はできません。彼らは療育によって、高機能自閉症の領域に入ってきたと考えられます。

これは、療育によって発達の促進が見られたという点で、本来の高機能自閉症とは異なります。早期の療育によって、「第２の高機能自閉症」というグループが、誕生したのかもしれません。この事実は、言葉が話せずに幼児期に自閉症と診断された子どもを抱える保護者を勇気づけてくれます。早期診断されても、早期絶望するしかなかったのに、「目指せ！　第２の高機能自閉症」という目標を持つことできるようになったのです。

もともとの高機能自閉症と第2の高機能自閉症にはどんな違いがあるのでしょうか。私もそれほど多くの第2の高機能自閉症の症例を診ていませんので、断定的なことはいえませんが、今までに感じた印象を述べます。

WISC－Ⅲ（69ページで解説）などの知能検査では、一般的な高機能自閉症（以下、第1の高機能自閉症と呼びます）では、動作性のIQが低く、言語性のIQが高いことが知られています（しかもその間に差があることが少なくありません）。しかし第2の高機能自閉症では、逆に動作性のIQのほうが高く、言語性IQが低いことが多いようです。

また第1の高機能自閉症では、動作性IQの指標の中では絵画、配列や組み合わせの点数が低く、言語性IQの中では知識や単語、類似の点数が高くなる傾向があります。しかし第2の高機能自閉症では、逆の傾向があります。

第2の高機能自閉症で配列や組み合わせの点数が比較的高いのは、療育の成果なのかもしれません。ABAなどの個別療育では、さまざまなアプローチを用いて反復トレーニングを行います。こうしたトレーニングを積んだことで、日常生活ではあまり行う機会のない配列や組み合わせ作業をうまくこなせるようになっているのかもしれません。一方で、言語性IQの類似や理解の点数が低くなるのは、療育によって言葉を獲得したけれども、言葉の使用経験や蓄積が少ないことが影響している可能性があります。

第2の高機能自閉症児が、今後どのような社会生活上の困難を抱えるのかはまだわかっていません。個別療育によって生まれた第2の高機能自閉症は、思春期に達していない子どもたちに多いので、今後の検討が必要です。

高機能自閉症の場合には、ボールをうまく投げられない、蹴ることができないなどの発達協調運動障がいの合併が30～40％に見られます。個人的な印象ですが、第2の高機能自閉症ではそれよりも多く、50％を超えているように思えます。これは個別療育を中心としてきたために、遊びの蓄積が少ないこととも関連しているかもしれません。

また握力が弱い、複数の指を使っての動作が苦手な場合もあります。こうした問題を解決するひとつの方法として、5歳ころからは「あやとり」の練習を勧めることもあります。ボールを投げる、ボールを的に当てるなどの練習も、ほめながら気長に繰り返し挑戦していると、結構上手になることが多いようです。

ポケットモンスター

現在は500近くのポケットモンスターがいるそうですが、通称ポケモンは子どもたちに大人気です。幼稚園で友だちとのけんかが絶えないということで私の診察を受けた5歳の男の子は、ポケモンの図鑑をいつも大事そうに抱えています。すでに字も読めますし、ひらがな、カタカナも全部書けるようになっています。あるときにポケモンの名前をいくつ書けるかと聞いてみました。答えは「300くらい」でした。そこで診察のあとで紙と鉛筆を渡してポケモンの名前を書いてもらいました。1時間後、そこには300を超えるポケモンの名前が並んでいました。ただその並び方が不規則に見えてなぜなのかわからなかったので、聞いてみました。私たちならばふつうは「ア」から順番に考えると思いますが、彼はポケモンのたくさん出ている場面を思い浮かべ、映像に現れる順番にポケモンの名前を片っ端から書く、それを繰り返したということのようでした。とても私たちにはできない能力です。

　こうした話をすると「ポケモンの名前がいくつ書けても役には立たない」と嘆かれる保護者の方がしばしば見られます。確かにポケモンの名前をいくつ並べても、将来それでお金を稼ぐことは難しいでしょう。しかし「他人にできないことが、その子にはできる」、これは才能のはじまりです。ポケモンではなく町の地図だったら、英単語だったら、これは将来の生活を助けるかもしれません。

　才能は意外なところで見つかることがあります。それを「役に立たない」と切り捨てていては、いつになっても「才能」としては育ちません。これは第1の高機能自閉症でも第2の高機能自閉症でも同じです。

第7章のまとめ

①高機能自閉症の定義

高機能自閉症は、話す、聞くという基本的な能力には問題がないもののコミュニケーション能力に困難を抱えていることが少なくありません。高機能自閉症は、言語に何らかの障がいのある自閉症と比べて、障がいがわかりにくいため、5歳児健診や集団生活の中で問題が発生して、診断されることがあるようです。

②言語に障がいがあっても、療育によって高機能自閉症になるケースもある

数は多くはありませんが、幼児期には満足に話すことができなかった自閉症児が、早期の個別療育を受けることによって、コミュニケーション能力を獲得し、第2の高機能自閉症と呼ぶことができるまでになったケースも報告されています。

第8章

「できるように なった」を 増やそう

さて、療育が進んでくると、いろいろなことができるようになってきます。基本的な動作ができれば、それを組み合わせることで従来はできなかった複雑な動作ができるようになります。こうなると、療育もずいぶんと楽しくなってきます。自閉症児の療育においては、こうした「できること」を増やしていくことが重要です。

よく私は「×はいらない、○だけでいい」と言います。というのも「できる」ということを評価するのは良いのですが、「これができない、あれもできない」といった否定的な感情を持つと、自分の気持ちも落ち込みますし、「明日はできるかもしれない」という可能性を自ら否定することになります。ですから、できることを増やすためには、まずその時点で「できること」を信じることが大切です。

○×ボードでわかりやすく

私が療育の補助としてよくお勧めしているのは、表が○で裏が×のボードです（図8−1）。クイズ番組などで使われることが多く、市販製品もありますが、手作りでも結構です。3歳以上であれば抽象的な記号も理解できることが多いので、○×カードはかなり早い段階から利用可能です。幼児期の療育では、何がしなければいけないことで、何がやってはいけないことな

図8－1　幼児期の療育で何かと重宝する○×ボード

のかをはっきりと伝えなければならないので、とても重宝します。

子どもが望ましくないことをしている時には、遠くから声をかけるのではなく×のボードを見せます。子どもが行動を変えて、望ましい行動をとったときには○を見せます。これを繰り返して、行動を変える習慣を自然に身につけてもらいます。

重要なことは、ボードを使う場合に、最初は×で始めますが、必ず最後に○で終わることです。×で始めて×で終わっていては、望ましくない行動を減らして、望ましい行動を増やすことになりません。×を見せた時には望ましくない行動をしているわけですから、そこから望ましい行動へと誘導して、○で終わるのです。

×で始めても○で終わるということが基本です。落ち着いて行動しているときに、ときどき○を見せておくことも勧めています。

子どもが落ち着くハンドリング

ＡＢＡでは最初のうちは、治療者は、机をはさんで子どもと向き合って療育をします。大小の弁別（大きいものと小さいものの区別をさせることです）や動作模倣や音声模倣などのトレーニングを行い、うまくできたら強化子（ごほうび）を与えます。

療育が進み、ある程度指示が通り、理解もできるようになると、子どもは自由に動きながら、指示を理解し、その指示に従って動くあるいは表現するようになります。しかし椅子に座っての療育から、いきなり自由にさせると、なかなか行動の制御ができなくなることがあります。

そういった場合に、私は図８－２のような対応をしています。ハンドリング（hands to hand handling）と呼んでいますが、机をはさむことなく対面で向き合い、少し狭く小さな空間をつくります。手をつなぎ視線を合わせることによって一つの小さな世界が生まれます。目と目、顔と顔の距離をなるべく一定にし、高さを揃えることで、子どもたちも私の目を見やすくなります。

図8－2 ハンドリングをすると子どもも集中し、落ち着いてくれる

ハンドリングをすると子どもも集中し、落ち着いてくれます。指示を出す、会話をするなどの練習のときに、ハンドリングは著しい効果があります。ハンドリングは自閉症に限らず、その他の行動障がいの子どもたちや、時にはうつ病の子どもたちにも有効です。私は、社会生活訓練（ＳＳＴ）を行う際にもしばしば使っています。

まね（模倣）ができるようになったら

自分の子どもが、まねができるようになった。これはとても嬉しいですね。手を上にあげる、手を叩く、耳・鼻・首を指で差す、こうした簡単な動作であっても、子どもたちがまねをしてくれると親はたいへん嬉しいものです。では子どもたちはどうでしょう？　思い切り喜んでいますよね！　親が喜んでいるのを見て、子どもも喜びを覚えます。

まね（模倣）は、とても大切なことです。まねができるようになったということは、目から視覚情報が入り、それを正しく認識して、自分の体を使って再現できたことを意味します。脳科学の観点から見ても、まねは高次元の活動に位置づけられます。

さらに、まねをした子どもをほめることで、情報がフィードバックされるので、子どもたちの脳は活性化します。子どもたちがまねをするようになったということは、療育がうまく進んでいることを意味します。

最初は動作模倣が多いと思いますが、次には単音の音声模倣になり、これが単語の発音へとつながっていきます。まねができるようになれば、仮にそのあとにうまくいかない状況が出てきても、療育方法を変えたり、強化子を変えたりすることで、望ましい行動に誘導することが可能になります。

「ちょうだい」「持ってきて」という簡単な指示を理解し、実行できるようになるとさらに嬉しいですよね。親やセラピスト（療育者）の指示を理解し、実行できるようになったときには、なるべくその指示の内容を子どもにも言わせてみましょう。

理解できたことがわかったら、「わかった」などの理解語を使わせていきます。理解語を使いこなせるようになれば、療育の進歩がはっきりとわかります。治療者も訓練がうまくいっているのかうまくいっていないのかがわかりますから、効率的な学習ができるようになり、療育に弾みがつきます。

感覚過敏によるトラブルを防ぐには

個別療育を行うにあたっていくつか注意していただきたいことがあります。自閉症児には、感覚過敏に代表される特有な症状があります。こうした自閉症児の特徴を事前に知っておけば、予期せぬ事態が起きても落ち着いて対応できます。

感覚が過敏になることは自閉症ではしばしば見られます。特に、自閉症の子どもは音に敏感です。聴覚すなわち音に対する過敏は、大きな音に対して過敏になる場合と、特定の音（バイクの音、チャイムやアラーム音）に過敏になる場合とがあります。

感覚過敏は、聴覚だけではなく、視覚（目で見る）の刺激で起きる場合もあります。たとえば縞《しま》模様など特定の模様に反応する場合や、強い光に対して過敏になることもあります。町を歩いていて特定の模様を見て突然固まってしまったり、突然明るい室外に出るとパニックを起こしてしまうこともあります。初めのうちはなぜそうなったかがわかりません。よく観察してみて、なぜそうなるのかがわかったら対策を考えます。

感覚過敏のトラブルを未然に防ぐには、具体的には以下のような対応策があります。

- そのような状況になる場面を避ける
- 特定の音や光などに過敏に反応する場合は、刺激の弱いものから強いものへ少しずつ経験させながら慣らす
- パニックになりそうであればあらかじめ抱きかかえるなどの対応をしてパニックを防ぐ
- パニックを起こさずにすんだら、それをほめて強化する

自閉症児の場合は、同じ状況を繰り返せば刺激に慣れるということはまずありませんので、工夫が必要です。感覚過敏には、聴覚過敏や視覚過敏のほかにも、触覚過敏（肌触りや他人に触られることへの過敏）、味覚過敏（そのための偏食もあります）などもしばしば見られます。

こうした過敏に対しての根本的な治療法や対策はないので、生活上の困難さをどうやって減らすかがポイントになります。味覚過敏の例であれば、たとえ偏食があったとしても、栄養学的に偏らないようであれば無理に矯正する必要はありません。基本は過敏に反応する状況を把握し、どうすれば支障なく生活できるかを考えることです。

単語が言えるようになったら

療育によって、意味のある単語を話せるようになると、とても嬉しいですね。折れ線型自閉症のように、以前話せなかった言葉が話せるようになる場合と、まったく話せなかった言葉が突然話せるようになる場合との２通りありますが、いずれの場合でも、長い苦労が報われたようで、親や療育者に喜びを与えてくれます。

しかし、そこで急がないでください。言葉を理解し、物との１対１の対応が把握できるようになったように見えても、定着するためには時間が必要です。今日できたことが必ずしも明日できるわけではありません。できたからといって、単語をあわてて増やさないことが大切です。

最初の段階は特に念入りにしましょう。最初の３つの単語を習得するのに苦労する時間は長く感じますが、それができるようになれば10語に増やすことは比較的簡単です。最初に急いでしまうと、いったん一致するようになっても、そのうちにまた物と言葉が一致しない状況が生まれやすいので、記憶が定着しません。最初の「念入り」が肝心です。

読み書きも焦らずコツコツ習得しよう

字についても、同じことが言えます。平仮名「あ」が読めた、「い」が読めた。「あ」と「い」が区別できるようになることは大切なことですけれども、ここで急いではいけません。平仮名を区別できる能力を身につけるトレーニングでは、最初の「あ」と「い」が一番時間を必要とします。「あ」と「い」の訓練が十分にできていれば、「う」と「え」と「お」は比較的早くできるようになります。

次の「か・き・く・け・こ」もかなり大変です。しかしここまで進めば、「さ行」からあとは比較的早くできるようになります。最初こそ大変ですが、そこをがまん強くこなせば、習得できる言葉が広がります。焦ってしまうと、こうした喜びも味わえません。

自閉症を抱えた子どもたちは、文字や数字に強いことが少なくありません。むしろこうした方面で能力を発揮する子どもたちが、小学校レベルになると多いと感じています。つまり、最初に辛抱強く教えることで、あとの伸びが期待できます。中には、療育をしている過程で、４歳時点ですでに平仮名をスラスラ読んでいるような子どもたちも少なくありません。

書くということは、話すこととは少し違います。自閉症の子どもたちの場合には、書くことに困難を抱えることがしばしばあります。まず書き順がなかなか理解できませんし、鏡で見たように左右対称の図形のように書いてしまうこともあります。綴りの訓練に近道はありませんから、とにかく辛抱強く直すことです。

書き順、特に漢字の書き順の間違いは、小学校でも中学校でも指摘されることが多いのですが、これを直すことは困難です。字を見せて白い紙に書かせていると、気がついたときには書き順がばらばらになっている――そんなことも日常茶飯事です。自閉症児の場合、形という最終形を先に目から記憶しがちなので、書き順という途中の段階を理解し、実行することに困難を抱えることが多いのです。

文字を書く訓練を行う場合は、平仮名の段階から、あらかじめ紙などに書いてある字を大きくなぞり書きをする訓練をするとよいでしょう。援助（プロンプト）をして、手を添えても構いません。小中学校では、書き順は常に指導の対象になりますが、実際には大人になってしまえば書き順をいちいち注意されることもありません。字が形になっていれば、そして読める字であればあまり文句を言われることもありません。

学習障がいの中の書字表出障がい（字をうまく書くことができない、できても誤字・脱字が多かったり、大きさが、ふぞろいになったりするなど）を合併しているときには、文字のふぞろいや誤字・脱字の問題が出てきます。筆圧が弱いことを指摘されることもしばしばあります。筆圧が弱い時は、傾斜のある台に紙を載せて書くとうまくいくことがよくあります。最適な傾斜角度は子どもによって違いますので、板の下に木切れを入れるなどして最適な角度を見つけてください。これはお父さんの日曜大工で簡単にできます。

カウントダウンで、さぁスタート！

指示が理解でき始めた段階から、実行できることが増えていきます。次によく問題になるのが、指示をしても、なかなかそれに取りかかれないことです。

指示待ち時間を短縮するにはカウントダウンという方法がしばしば有効です。「3・2・1・0。はい、スタート」といった号令をかけて行います。「0になったらスタートだよ」ということを明らかにして、子どもたちに心の準備をしてもらうわけです。3カウントぐらいからスタートしてもよいのですが、実際には3カウントではなかなかうまく取りかかれず、やむなく10カウントになることがよくあります。

カウントダウンは声に出して行うことが効果的です。音声で読み上げをしてくれるカウントダウンタイマー（http://www.nittento.or.jp/yougu/list/item/7/71526.htm）もあります。たとえばカウントダウンを10秒に設定すると、1秒ごとに10秒から0秒まで音声で知らせてくれます。数字が理解できるようになれば、数字のカードを使うこともできます（1から10まで入ったカー

図8－3　数字が表示されたカウントダウンカード

ドもあります。図8－3）。

めくりカード方式で順序よく行動

最初は絵カードを使い、字が読めるようになれば文字を使います。最初のうちは、手描きのカードで構いません。市販の絵カードも使いやすいものが出ています。私は生活絵カード、連続カードなどエスコアール社（http://www.escor.co.jp/sst.html）のものをよく使っています。

最初は1枚の絵だけを見て、描かれていることを説明する、それが実行できるようにすることから始まるのですが、できることが増えてきたら何枚かを組み合わせることで、こみいった動作も指示できるようになります。

実は、これはPECSの方法の一つですが、AB

Aの療育の合間に、疲れたときのいわば息抜きのようにして行うこともできますし、療育者以外の人でも簡単にできるので、あとでお話しする「般化」の助けにもなります。

次のステップは、何枚かカードを重ねて絵を見せながら、できると1枚ずつ取っていくめくりカード方式にします。「最初は3枚でやってください」とお話をしています。お皿を片づけることを学ぶ場合で考えてみましょう。一番上のカードは「お皿を重ねる」というカードです。このカードを見せて、食べ終わったお皿を重ねます。そしてお皿を重ねられたら、今度は次のカードをめくります。2枚目のカードには「お皿を台所に持っていく」と描いてありますから、それを台所に持っていかせます。戻ってきたら3枚目のカードを見せます。このカードはごほうびです。たとえば「おやつがもらえる」とか「お母さんに抱っこしてもらえる」などの絵がカードに描かれています。

カードを重ねて1枚ずつめくっていく方法は、行動を順序よくできるようにするときに有効です。ただし最初は3枚ぐらい、多くても5枚ぐらいです。最後には、いつもごほうびが出てくるようにすることをお勧めしています。

文字が読めるようになれば、文字の書かれたカードを使います。場合によってはカードをすべて見えるようにして、順番に並べてできたものから取っていくこともあります。TEACCHでは、カードを最初からすべて並べる方法がよく用いられますが、この場合には、ごほうびカードを見つけると、それをすぐにとってしまうことがあるので、ごほうびは別の形で決める必要があります。

あいさつは一生の財産

あいさつも大切です。大人の高機能自閉症の方たちを拝見していると、このあいさつがうまくできなかったり、できたとしても小さな声で下を向いて言ったりしていることがよくあります。あいさつが満足にできないことが社会生活上や職業上の困難を招いているケースが少なくないため、私の療育では、あいさつの訓練を重視しています。

- おはようございます
- こんにちは
- こんばんは
- おやすみなさい
- さようなら
- ありがとう
- ごめんなさい

図8－4　あいさつ7を身につけよう

私はこの7つを「あいさつ7」と呼んでいます（図8－4）。もちろんあいさつには、この他にも「行ってきます」「いただきます」など、いろいろなものがありますが、この「あいさつ7」は社会生活を送るうえでも、大人になっても一生必要なものです。

なお「おはよう」ではなく「おはようございます」としているのは、自閉症を抱えている場合には、相手によってあいさつを使い分けることが難しいためです。保護者には、「おはよう」については最初から敬語で教えてくださいとお願いしています。あいさつにはお辞儀や身振りが必要なこともあります。「おはようございます」や「さようなら」では、それもセットにして練習することもあります。

たかが、あいさつと思われるかもしれません。しかし大人の自閉症の方を拝見していると、上司や同僚にあいさつができないために、誤解されたり、人間関係のトラブルに直面したりしている人が少なくありません。

私は、自閉症に限らず、将来社会に出たときに、この7つのあいさつを大きな声ではっきりと言えることがきわめて大切だと感じているので、できれば小学校に入る前にすべてできるようになってほしいと思っています。「あいさつ7」は、一生の財産になります。大人になって、あいさつができないために職を失う、そんなことにはなってほしくはありません。

あいさつ7をマスターするには、練習あるのみです。私は、先ほどお話ししたハンドリングと組み合わせて練習しています。定着するまではねばり強く反復してください。もちろん子どもにだけあいさつの練習をさせるのではなく、家族全員で取り組むことが基本です。

あいさつに限った話ではありませんが、療育を成功させるために「ほめる」ことが重要です。一つのことをきちんとできるようになるために、1万回はほめてあげてください。そのぐらいの覚悟でないとなかなか定着しません。

覚えたことを別の場面に応用する

療育の成果が着実に上がっているのに、外出したり、療育する人が誰か別の人に代わったりするとうまくいかない。これはしばしば見られることです。

通常、ＡＢＡでは、特定のセラピストや保護者などの担当者が責任をもって療育を行います。担当者がコロコロ替わると、指示する内容が変わったりするので、自閉症児が混乱してしまうからです。療育を集中的に行えば行うほど、担当者とはうまくできるようになりますが、その他の人への応用は難しくなります。これは療育を進めていくうえで、避けられない問題です。

獲得した理解力やコミュニケーション能力を、誰に対してでも発揮できるようになることを、ＡＢＡでは「般化」と呼んでいます。この般化ができないと、就学時に通常学級に入ることは困難になります。

家族の中でも般化の練習はできます。まずはほめることです。身振りや表情が理解できないこともあるので、こちらがほめたつもりでも子どもに伝わっていないこともあるので、先ほどの○×カードを使うなど、目に見える方法でほめてあげてください。

「ほめられたことが、わかる」――。これは、その後の般化の訓練を進めていくためにきわめて重要です。家族や治療者以外からほめられたときに、それを理解し喜べるようになると、訓練したことを他人に応用しようという行動が強化されます。「ほめられたことを理解する」の般化は、あいさつや一緒に遊ぶということよりも先です。

友達とのかかわり方を練習しよう

通称ピアトレです。ピア・トレーニングの、ピア（peer）とは同じくらいのという意味です。すなわちピア・トレーニングは、同じ年齢の子どもたちとコミュニケーションをとる練習です。一般に自閉症児は同じ年齢の子どもたちとの関係作りが苦手なので、はじめは般化の練習のパートナーは、大人や年齢の低い子どもたちがよいでしょう。保育園でも幼稚園でも小学校でも、いきなり同じ年齢での集団で般化を始めることはお勧めしていません。同じ年齢の子どもたちの中に入れると、周りの子どもたちは「できて当然、わかって当然」という対応をすることがあり、子どもが混乱してしまうことがあります。

ですから1～2歳下や上の集団に入れるほうがうまくいくことが多いようです。もちろんいきなり多人数の中に入れるのではなく、1～2人で慣れてから、徐々に集団を大きくしていきます。うまくできるようになるまでにはそれなりの準備が必要です。それができるようになってから同じ年齢の集団に入れることがおすすめです。第9章でお話しするシャドーを併用することもあります。

ほめ上手になろう

ほめることは療育には欠かせません。ほめられることによってセルフエスティーム（自尊心。自分に自信が持てること）は上昇し、叱られることによって下がります。世の中には「ほめ上手」といわれる人たちがいます。会社でも学校でも幼稚園でも、こうした人たちは周りから好感をもって迎えられます。療育においてもほめ上手になれば、子どもとうまくいく機会は増えます。

ほめるということは技術と経験が必要です。技術は、ほめることを見つける、なければほめることを作る、小さなことで気軽にほめる、などです。経験はどれだけほめたかによって蓄積されます。

療育を始めるときに、保護者の方に「1日に10回はほめてください」というお話をします。これは高機能自閉症の場合でも同じです。次に来られたときに聞いてみると「努力したけれど5回くらいだった」というお話をよく聞きます。5回、それは大成功です。ほめようと考えるようになり、ほめることを見つける努力をし、そして5回ほめたわけですから、十分です。これは10回につながります。

保護者がほめることが上手になると子どもの反応も変わってくるように感じています。みなさんもぜひ「ほめ上手」を目指してくださいね。

第8章のまとめ

①療育では「×はいらない、○を増やせ」が鉄則

「これもできない、あれもできない」といった否定的な感情は療育の効果を低めることになります。発達の歩みは遅々として見えても、その時点でできることをひとつずつ増やしていくことが重要です。基本は、叱るのではなくほめることを中心としてセルフエスティームを高めることです。

②療育効果を高めるコツがある

療育が進んでくるといろいろなことができるようになります。しかしできるようになったと感じたときに、それを子どもの能力として固定させるためには工夫が必要な場合もあります。本章では子どものコントロールの仕方や、模倣の際に注意すること、あいさつの教え方など、療育を進める際のヒントを集めました。また療育で陥りやすいことや、個別の対応ができるようになってからの般化についても触れました。

第9章

幼稚園（保育園）に通う際の注意点

家庭以外の集団の場として療育施設や幼稚園・保育園などがありますが、どこに通ってどのような療育を行えばいいのでしょうか。住んでいる地域に適当な施設や援助者がいない場合もあり、なかなか難しい問題です。

一般的には、自閉症と診断されますと、市区町村の保健センターなどでは、療育施設に通うことを勧められます。多くの通所施設は市区町村など公的機関が設置していますが、少ないながら民間施設もあります。

わが国では、自閉症の幼児に特化した公的な療育施設はありません。あるのは知的障がい児を対象とした通所施設で、言葉を話すことのできない自閉症児はそこに通うことを勧められます。しかし保護者は、当然、普通の子どもたちと一緒に生活させたいという考えがありますから、保育園や幼稚園も視野に入れます。

通所施設での療育の現状

児童福祉法では、自閉症についての規定は現時点ではありませんので、コミュニケーション能力が乏しく、発達指数が低い場合には、知的障がい児の施設への通所を勧められます。

言葉を話せない自閉症の場合には知的障がいと判定され、障害者手帳を取得できます。障害者手帳があれば、障がい児を対象とした児童デイサービスなどの通所施設を利用することもできます。ただし、言葉を話すことのできる高機能自閉症や「知的障がいなし」と認定された場合は、障害者手帳の取得は困難ですし、知的障がい児向けの通所施設の利用もふつうはできません。なお知的障がい児の通所施設や保育園の障がい児枠では、個別の問題点、到達目標などを含めた療育プログラムを作ることが多くなっています。あとでお話しするＩＥＰ（Individual Educational Program）と同じようなものです。

今までに私が関わってきた通所施設はたくさんありますが、職員の意欲も高く、熱心なところがほとんどです。しかし公的な施設にはどうしても限界があります。それは集団での療育が中心で、個々の子どもたちの能力の向上を図る訓練には十分に対応できないという面です。必要性は感じていても、予算の面から十分な対応ができないということもあります。

それでも、近年、自閉症と診断される子どもたちが急激に増えており、ＴＥＡＣＣＨを導入している施設も増えてきました。ただし、ＴＥＡＣＣＨには先ほどもお話ししたようにいくつかの柱がありますが、視覚的構造化のみに走っているケースも見受けられます。最近ではＰＥＣＳ（絵カードを用いた、コミュニケーション能力獲得のための訓練法。詳細は１２８ページ）を取り入れ始めた施設もあります。ＴＥＡＣＣＨとＰＥＣＳはどちらも視覚情報を重視するので、相性が良く、集団での対応が可能です。

一方、ＡＢＡは個別療育が基本ですから、集団の療育施設で行うことは難しくなります。そのため多くの療育施設が取り入れているのは、視覚的構造化を中心としたＴＥＡＣＣＨの方法になっています。

もしＡＢＡによる個別療育を集中的に行うのであれば、一定の訓練時間が必要になりますから、施設に通う時間はないという考え方もあります。ＡＢＡは、家でも施設でも行うことが望ましいのですが、現状ではそれができる通所施設がありません。私はＡＢＡを個別に行うことのできる児童デイサービスを支援していますが、まだ普及には遠いと思います。

残念ながら、現在の日本には、ＡＢＡに限らず、誰でも満足できる個別療育のサービスが用意されている地域はほとんどありません。そのため、少しでも環境が整備された地域に転居しようとする方もいらっしゃいます。経済的な問題や転職を余儀なくされるケースもあるので、誰にでもできることではありません。わざわざ転居しなくてもすむように、個別療育がもっと広まり、セラピストが公費補助を受けて療育を行えるようになることが望まれます。ただし、現在一部の州で個別療育が公費助成で行われているアメリカでも、公費負担を行うようになるまでには長い年月が必要でした。

図9－1　障がい児保育に力を入れる幼稚園や保育園が増えている

幼稚園・保育園で障がい児保育を受けるには

最近の幼稚園や保育園では障がい児保育に力を入れています（図9－1）。幼稚園では特別支援教育の一環として、保育園の場合には障がい児保育枠によって、自閉症の子どもたちが、たとえ言葉が話せなくても入園が可能になってきています。

幼稚園では自閉症を含む発達障がいに対しては、医師の診断書があれば市区町村などから補助金が出る（必ずしもその子のために使われるとは限りませんが）ことがあり、その費用を使って人員配置を増やす（加配と呼ばれます）場合もあります。保育園も同様な仕組みがあり、加配での対応が多くなっています。障がい児保育という表現が保護者にとって快い表現ではないことから、東京都をはじめとして育成保育など別の表現にしているところも増えてきました。

幼稚園であれ保育園であれ、これらのサービスを受ける場合には事前申請が必要ですし、そのための申請手続きや診断書を提出しなくてはなりません。自治体によっては、障害者（療育）手帳が必要な場合もあります。

障がい児保育にしても特別支援教育にしても、基本的に施設側にまず自閉症という障がいを理解してもらったうえで、その子の行動特性や障がい特性を理解してもらうことが必要です。自閉症の子が１００人集まれば１００人とも違います。抱えている困難も違います。行動特性も細かく見てみれば全員違います。入園にあたっては、自閉症児の特性や行動、コミュニケーションにおける問題点などを説明して、情報や問題意識を園全体で共有してもらうということが大切です。共通認識がないと、場面によって、あるいは人によってばらばらな対応になり、トラブルを招く恐れがあります。

普通に保育園・幼稚園に通う

制度としては許容されていても、言葉の発達が遅れている自閉症児が、普通に保育園・幼稚園に通うことにはかなり困難を伴います。個別療育を通じて、ある程度言葉が話せるようになった子どもでも、知らない人とコミュニケーションをとることは難しい場合が多いため、保育園・幼稚園との事前の話し合いが必要になります。

時間のあるときに何度か施設に子どもを連れていって、職員にも紹介して、医師からどのような診断を受けているのか、発達の状態はどのように評価されているのかをまず伝えましょう。そしてただ入園させたいということではなく、何ができるようになることを希望しているのか、何をしてもらうことを期待しているのかもあわせて伝えましょう。

加配やその他の人的支援が必要な場合には、医師の診断書も出すことになりますが、できれば診断名だけではなく、生活やコミュニケーションの上での問題点も一緒に書いてもらいましょう。発達検査を受けていれば、検査結果のコピーもあったほうが良いと思います。

また入園したら施設まかせにするのではなく、こまめに連絡をとって、気になることや行動の問題などについては、園と保護者の間で共通認識を持つことも大切です。

パニックを起こしたらタイムアウト

自閉症を抱えている子どもは、突然パニック（状況に対応できなくなり固まってしまう）を起こすことがあります。家の中でもそうですが、幼稚園や保育園などの集団生活では、特に注意す

図９－２　子どもがパニックを起こした場合は、タイムアウトさせて、お気に入りの場所に連れていく。目安は３分くらい

る必要があります。パニックを起こして固まってしまったり、泣きわめいたりすると、集団での行動が続行できなくなるからです。

もちろん原因がわかっていれば、その原因を取り除く対応ができますが、多くの場合には対応困難な場合が多いので、パニックを起こした子を集団から一時的に離す「タイムアウト」が必要になります。

パニックを起こしたときには、タイムアウトして、その子をその場から離します。泣いてもわめいても構いません。部屋の中で壁に向けて、子どもを固定しても構いませんし、園の中でその子のお気に入りの場所に連れていくこともあります。幼児の場合、タイムアウトの時間は３分が目安です（図９－２）。

強制的なタイムアウトをするときには、子どもに正面から立ち向かわずに、後ろから捕まえる、抱えることが原則です。正面からでは蹴られる危険性もありますし、うまく捕まえてもコントロールすることは結構大変です。

充実した園生活を送るためにシャドーでサポート

保育士などの加配が得られない場合や、得られてもうまくいかない場合には、保護者が園での生活に付き添うこともあります。影のようについていくので「シャドー」と呼んでいます。シャドーは幼稚園・保育園だけではなくて、小学校・中学校においても行う場合があります。一般的には保護者が行いますが、最近ではセラピストが有料でシャドーを行うこともあります。

幼稚園・保育園は他の子どもたちもいますので、特定の子の保護者がクラスに入ることについては、かなりの抵抗がある場合が多いようです。相談しても断られてしまうこともあります。母親が保育士の資格を持っており、空いた時間には他の子の面倒も見るなどの条件でようやくシャドーが可能になったケースも目にしています。

シャドーの基本的な役割は、行動を制限したり、指示したりすることではなく、子どもに失敗させないこと、経験するチャンスを増やすことです。ＡＢＡの療育を例に説明しましょう。

動作模倣がうまくいかない場合は、手を添えて正しい動作ができるように誘導（プロンプト）してあげます。失敗させないことがコツの一つです。幼稚園や保育園でも同じです。うまくいかないかなと感じたときには手助けをする、それが目的の一つです。

経験するチャンスを増やすということもシャドーの重要な役割です。集団に加わろうとするが踏み出せない、手を上げて答えたいがそれができない、そんなときは、子どもの背中を押したり、言葉をかけたりして経験するチャンスを増やすわけです。

シャドーも最初はぴったり横についていても、できることが増えてくれば、斜め後ろで見ている、さらには教室の一番後ろで見ている、といったふうに少しずつ子どもへの関わり方を減らしていきます。

シャドーをしてでも幼稚園や保育園に通わせ、子どもの能力を上げようと考えるのであれば、園と粘り強く交渉し、園から「これをしてほしくない」「これをしてほしい」という具体的な要望をきちんと出してもらうことです。保護者の方は「何がしたいのか、何が心配なのか」をまとめ、明らかにしておくことが必要です。こうした準備を怠ると、ただ期間だけを決められて（たとえば最初の夏休みまでなど）、成果があがっていないのにシャドーが打ち切られてしまうようなこともおきます。

とにかく話し合いの中で流れや方法を決めていくこと、そしてトラブルに備えて医療機関など第三者にも話し合いに入ってもらうことが必要な場合もあります。

施設との情報交換

幼稚園でも保育園でも、自閉症を抱えた子どもを通わせるときには情報交換、情報の共有がとても大切です。また子どもの良いところをしっかりと伝えておくことも欠かせません。障がいを抱えていることを話してから園に入れると、園のほうでは何か問題があるとすべてを障がいのせいにすることがあります。また「どうせうまくいかない」と回避感情をもたれてしまうこともあります。保育士さんたちによくお話しすることですが、「好きな子どもの発達は早く見える」「嫌いな子どもの発達は遅く見える」ということがあります。人間の感覚はそんなものです。だとすれば「扱いにくい子」と感じてもらうよりは、口先だけではなく心から「好きな子、かわいい子」と感じてもらうことのほうが、子どもにとっても過ごしやすい空間になることは明らかだと思います。園に入るだけでも大変なのに……と思われるかもしれませんが、そこでの経験を子どもが活かしていくためにも「好きな子、かわいい子」と考えてもらうことです。そのためにはきめ細かな情報交換や子どもの良いところ、できるようになったことなどの情報の共有が必要です。

第9章のまとめ

①通所施設の療育には限界がある

子どもたちは3～4歳になるといろいろなところに通うようになります。言葉の話せない自閉症児の場合は知的障がい児の施設に通うことも考える必要があります。少しでも言葉を話すことができれば、幼稚園・保育園などの選択肢も広がります。

残念ながら、自閉症児のみを対象とした公的な療育施設は存在しません。一部に集団療育を行っている施設もありますが、ＡＢＡの個別療育に対応した施設はほとんどありません。

②施設関係者との意思疎通が重要

障がい児枠などを使えば、たとえ障がいを抱えていても、幼稚園や保育園に通うことはできますが、実際にはかなりの困難を伴います。個別療育によって、ある程度言葉が話せるようになった子どもでも、初めて出会う人とコミュニケーションをとることは簡単ではありません。また最近は、保護者が児童に付き添うシャドーを認めてくれる幼稚園や保育園も増えてきています。ただし、事前の話し合いが不可欠です。

第10章

お父さんにできること

最近では家事を手伝う父親も増えてきましたが、それでも家事や育児を主に担当するのは母親であることが多いようです。療育のために外の仕事をやめて、家でできる仕事に変えた父親もいますが、まだ少数です。母親ひとりが療育を担当している場合、精神的にも時間的にも大きな負担を抱えることになります。そこで父親にできることは、もちろんたくさんあります。

苦労も喜びも夫婦で分かち合う

わが国では「俺は外で仕事をしてお金を稼いでくるから、家のことと子どものことはお前に任せた」と、母親に全部押し付けている父親が多くいます。社会的「性役割」(gender role)ですね。そうなってくると、やはり「お前に任せた」という言葉がよく出てくるようになります。確かに外で仕事をしていれば、疲れもあるでしょうが、妻であり女である母親を支えることは強くお願いしたいと思います。

私は父親に対して次のようなお話をよくします。「疲れているでしょうし、イライラもするでしょう。しかし、1日10分だけでいいですから、お母さんの話を聞いてください。その間、とにかく黙って聞いてください(図10-1)。それだけでも助かりますから」。

療育をしている母親に向けて、自分へのごほうびが必要という話をしましたが、父親だって

図10－1　父親はどんなに疲れていても必ず母親の話に耳を傾けてくださいね

大変です。平日遅くまで仕事をして、土日は子どもの療育をしていれば疲れ果ててしまいます。父親にとっても自分にごほうびをあげる、自分なりにストレスを解消するということはとても大切なことです。すべてを「今頑張らねば」と思いがちですけれども、今頑張るのではなくて、ずっと少しずつ積み重ねていくことが大切なわけです。

社会の最小構成単位が家族です。それを子どもを含めて維持するのか、壊すのか、それは善悪で判断するものではありませんが、気がついたら壊れていたということはお勧めできません。子どものことを考えるのは母親だけではありません。

子どもが障がいを抱えていることがわかると、家庭が壊れることは少なくありません。児童虐待が起きることもあります。しかしそれでも一生懸命に子どもを育てようとしている母親、父親のほうが圧倒的に多いように感じています。自閉症の療育に対する行政からの支援は十分ではありませんから、家庭が壊れてから、どちらか1人だけで障がいを抱えた子どもに対応していくことはとても大変です。子どもの責任者は2人です。苦労するのも2人ですが、子どもが大きく成長したときにそれを見つめ、ごほうびを受け取るのも2人です。

ひとりで勝手に絶望しない

子どもが自閉症と診断されると、父親がはりきっていろいろな本を探したり、インターネットでいろいろ調べたり、療育法を見つけて保護者のサークルに入会するなど短期間にがむしゃらに動くことがよくあります。父親が熱心なのは悪いことではありませんが、頑張りすぎて、息切れして勝手に絶望することも少なくありません。

療育をいったん始めてみるとなかなか大変で、短期間で目覚ましい成果があがることはめったにありません。療育は長期にわたって、コツコツと根気よく積み重ねていくものです。サラリーマンの方は、会社から帰ってくるとぐったりと疲れていますから、帰宅後にＡＢＡをやろうとしても、子どもが寝てしまっていたり自分が疲れていたりして、うまくできないこともあるでしょう。進歩が目に見えなかったり、止まってしまったりするように見えることもあります。

我慢できなくて、「もうこの子はダメだ」「将来はない」「思っていた夢がこわれた」などと悲観的になる父親もいます。そこから家庭が壊れることもあります。しかし、親たち以外に誰がその子の将来を信じられるのでしょうか。私たちはお手伝いもしますし、ありうる可能性についてのお話もします。しかしそれは「こうなるかもしれない」という可能性に基づいてお話をしているのであって、「こうなるはずだ」とまで断定できるわけではありません。子どもの未来を信じられるのは親しかいないのです。勝手に絶望し、あきらめてしまうことは、結果として子どもの将来の可能性を閉ざしてしまうかもしれません。

次の子どもを考えるとき

特に最初のお子さんが自閉症と診断されますと、次のお子さんをつくるときに悩まれる方がとても多くなります。心配しているのに口にできないということもありますので、外来では、私から気軽に質問しています（基本的には母親だけの時には聞きません）。

最初の子が自閉症と診断されたときに、次の子が自閉症になる確率はどのぐらいあるのかという質問をよく受けます。自閉症の頻度は、自閉症スペクトラム全体では約1％だと考えられています。兄弟に自閉症がいる場合に、次の子が自閉症になる確率も同じように1％かというと、それより少しは高くなると考えられています。報告によって違いますが、4～5％ではないかと考えられます。また自閉症は男の子（女の子の3～4倍）に多いので、次のお子さんが女の子であれば、よりリスクは低くなります。

双子の場合は別として、2人以上お子さんがいて両方とも言語に障がいのある自閉症という場合は、あまり多くはありません。私が診察してきた症例では、高機能自閉症を含めて兄弟とも自閉症と診断したケースは全症例の4～5％です。

相談を受けていると、「この子のためにも次の子を作ったほうがよいでしょうか」という質問をしばしば受けます。この子のために次の子どもを作るといいますが、では、いったい生まれてくる次の子にどんな役割を期待しているのでしょうか。生まれてくる子どもはどの子も同じようにかわいいはずです。この子のためにではなく、生まれてくる子どもを自然に歓迎しましょう。

つらくなったときに思い出してほしいこと

そして、もう一つお父さんにお願いしたいことがあります。わが子が自閉症と診断されると、絶望して将来を悲観する父親も多いのですが、どうかお子さんが生まれてきたときのことを思い出してみてください。そのときの嬉しさ、描いた夢、それらが遠い世界になっていませんか。それを目の前に取り戻すためにも、まずは今を見つめることです。そこから少しずつ始めていくことで、子どもも変わってきますし、父親も変わっていきます。子どもが生まれたときの喜びを思い出して、現実に向き合う。そこがスタート地点です。

親の役割

子どもが生まれると、必然的に親になります。母親になる女性のおなかの中で子どもは長い時間をかけて育ち、生まれたわけですから、女性のほうは親になることはまだ理解しやすいと思います。しかし、男性のほうはそう簡単ではありません。もちろん子どもが生まれたときにはかわいいと感じるでしょうが、親としての実感はなかなかわかないものです。ある日、障がいを抱えていると告げられ、「お父さんだから頑張って」と言われました。それですぐに障がいに向き合うことができるでしょうか。感覚はそう簡単にはついていきません。

母親にも「母」の部分だけではなく、「妻」の部分も「女」の部分もあります。父親にも「父」の部分だけでなく、「夫」の部分、「男」の部分があります。子どもが障がいを抱えていると判定されると、とかく「父」や「母」の部分が強調され、それを押し付けられることが少なくありません。これを打開するためにも療育で小さな進歩を積み重ねることが大切です。療育によって達成感が得られれば、親の実感は時間をかけて出てくるものです。

父親も、母親も子どもの障がいを克服する療育法にばかり目が向きがちですが、夫婦は、おたがいの気持ちを思いやり、家族として、どう子どもの障がいに向き合っていくのか、考えなくてはなりません。私もそれをお手伝いできるように努力したいと思います。

第10章のまとめ

性急に成果を求めてはいけない

仕事が忙しいなどの理由で取り組みを避けようとする父親もいますが、自分の子どもが自閉症だと診断されると、はりきって療育法などを調べ、積極的に取り組もうとするお父さんたちも増えてきました。しかし残念ながら、療育がうまくいかないとすぐに絶望してしまうこともあります。そこで絶望してしまうことは子どもの将来を閉ざすことにもなりかねません。第6章にも書きましたが、焦らず、あきらめない、頑張らない、は父親に対しても有効です。一般的に、子どもの療育は母親に任せっきりになっているケースが多いようです。どんなに疲れていても母親の話には耳を傾けるように努力してくださいね。

第11章

小学校に入る前に準備しておくこと

多くの保護者にとっては、子どもの小学校入学は幼児期のゴールです。それまでに自閉症と診断されていれば、就学時健診や小学校入学をどうするかということは大きな問題です。入学までにあれこれ思い悩む保護者も少なくありません。特に幼稚園の年長組や保育園の5歳児クラスの子どもでは、10月に行われる就学時健診の迫ってくる8月ころから相談も増えてきます。

小学校生活で必要な能力とは

そのときに私がアドバイスするのは、就学時までに「普通になる」のが大切なのではなく、「これは大丈夫」といえることを少しでも増やしましょうということです。目前に迫った就学時までに「全部を何とかしてしまおう」と努力しても、結果としてうまくいきません。自閉症を抱えている場合には、知的なレベルを問わず、いつも長い期間で考える視点が大切です。そして現在の問題だけではなく、入学後にはまたさまざまな問題が起きてくるので、それに対する心の準備もしましょうとお話ししています。

すべてを準備することは不可能ですが、通常学級での集団生活を送るにあたっては、次の5項目の能力は必要だとお話ししています。

●あいさつができる、自分の名前が言える
●指示にしたがって並んだり、移動したりできる
●食事やトイレは自立してできる
●隣に座っている子どもと話ができる
●授業中、ちゃんと座っていられる

できない部分については、失敗を繰り返さないためにも幼稚園と同じように保護者などがシャドーにつくこともありますし、補助教員など特別支援教育による援助を受ける必要がありますが、それらは入学前から考え、学校とも相談しておく必要があります。

就学相談と就学時健診

小学校入学前年の7月頃から就学相談が始まります。教育委員会や教育センターなどは、市区町村の広報誌や療育センター、保育園、幼稚園に掲示したポスターなどを通じて、自閉症を始めとする発達障がいを抱える子どもの保護者に向けて就学相談への参加を呼びかけます。通常は「心身に障害のある児童・生徒の保護者の方へ」などのタイトルをつけたポスターや文書

が用意されることが多いようです。就学相談に出かけると、障がいの状況などの聞き取り、場合によっては子どもの観察などが行われます。そこで特別支援教育の話が出てくる（遠回しに通常学級は無理かもしれないという話をされる）こともあります。相談したために先入観をもたれてしまうこともありますが、私は、保護者が通常学級にしようか特別支援学級にしようか、どちらを希望するか迷っているような場合は、事前に情報を得るために就学相談に参加して見学先を紹介してもらうことを勧めています。

保護者側が進学に対して、明確な希望を持つ場合は、私は無理に相談に行く必要はないと考えていますが、あとから説明する入学時期を延期する就学猶予を考えるのであれば、就学相談から始めたほうが良いと思います。教育委員会にも心積もりや手続きの準備をしてもらう必要があるからです。

次に就学時健診について説明しましょう。就学時健診は一般的には入学前年の10月に行われます。学校教育法施行令第二条によれば、対象は10月1日時点でその地域に住む、翌年4月1日までに満6歳になり、小学校に入学を予定している子どもです。

就学時健診は多くの市区町村では平日の午後に行われます。内容は、質問票の提出、知的能力の検査（就学時新ＭＳ知能検査などの簡略化された検査を使用しているところが多くなっています）、内科診察、耳鼻科診察、眼科診察、歯科診察などで、必要に応じて言語能力のチェックも行われます。

知的能力の検査で得点が低い場合（多くは就学時新MS知能検査では8点以下）は、さらにくわしく調べることになります。就学時健診で知的な面、行動の面、コミュニケーションの面などで問題があると判定されると、後述の二次健診を受診することになります。

就学時健診の問題点は、まず、わずか半日の健診で自閉症を含めた発達障害の正確な判定ができるのかということです。実際に、高機能自閉症の子どもたちのかなりの部分が、入学後には学校生活で多くの問題点を抱えるようになるにもかかわらず、就学時健診では見逃されています。

就学時健診は学校保健法第四条で実施が定められており、市区町村の教育委員会にはこれを行う義務があります。心身ともに健全であるかを確認することが実施の根拠ですが、10月に行うのは、通常学級、特別支援学級、特別支援学校などへの振り分けを12月ごろまでには決めなければならない事情によります。

地方自治体には就学時健診を行う義務はありますが、保護者側には受ける義務や受けなかった場合の罰則はありません。したがって特別支援学級や特別支援学校を勧められることを恐れて健診を受けさせない保護者も存在します。手続き上は就学相談も就学時健診も二次健診も受けずに翌年4月を迎えることになると、通常学級に在籍することになります。しかし私はこのような方法はお勧めしていません。

自閉症を抱えた子どもを事前の情報もなく通常学級に入れてしまうことは、必要な支援を受ける妨げになる可能性が高いからです。ですから就学時健診を受診し、その上で結果が納得できなければ自分の希望を含めて支援の方法を探ることをお勧めしています。なお就学する時期を翌年以降に延期する就学猶予を希望するのであれば、就学時健診を受けることはお勧めしていません。就学時健診を受けるということは、翌年4月に入学したいという意思表示でもあるからです。

二次健診は就学時健診で問題点を指摘された子どもを集めて実施されます。通常は11月ころ行われます。内容は名前や年齢が言えるか、指示に従うことができるか、他の子どもたちと一緒に行動できるか、粗大運動の能力に問題がないかなどのチェックが中心です。粗大運動とは、全身運動のことで走るなどの運動を指します。ちなみに微細運動とは細かい運動のことで、手先の器用さを要求されます。

なお障がいがあって、はじめから特別支援学校への入学を考えている保護者が就学時健診を受けないでいきなり二次健診を受ける場合もありますが、これは多くの教育委員会が容認しています。

就学指導

就学指導（あるいは支援）委員会は、二次健診を受診した子どもたちそれぞれについて適正な就学先を指導するための判定を行う委員会です。就学先としては、通常学級、特別支援学級（知的と情緒に分かれます）、特別支援学校（肢体不自由、知的障がい、感覚器障がい）があります。最近では指導という強い表現ではなく、勧告としているところも増えています。構成員は教職員（小中学校の管理職や各学校の職員、最近では特別支援教育コーディネーターが多いようです）、学識経験者（医師、特別支援学校の教職員や保育園関係者、療育施設の関係者、児童福祉施設の関係者、母子保健部門の担当者など）から構成されています。特別支援教育コーディネーターは、特別支援教育を実施、支援するために、多くの学校で1～2名の教職員が一定の研修を受けてから任命されますが、専任ではないことが多く、実際に果たしている役割は地域によっても学校によってもさまざまです。

保護者に対する就学指導は、就学指導委員会の判定に基づいて行われます。指導は教育委員会で行う場合と、地域の学校で行う場合があり、これは市区町村によって、また障がいの種類や程度によって異なります。ここで気をつけなければいけない言葉のマジックがあります。

教育委員会の担当者や学校の先生は、しばしば「お宅のお子さんは特別支援学級に行ったほうがいいと思いますよ。でもそこでうまくいけば普通学級に戻れますよ」と簡単に言います。しかし水はふつう下から上へは流れません。実際に特別支援学級に行って、それから普通学級に戻るということはきわめて困難ですし、特に小学校3年生以降になると学習内容の差が出ますので、学力の問題もあって、戻るということはいっそう難しくなります。

ですから「普通学級に戻れますよ」と言われたときには、「最近5年間で何人が特別支援学級から通常学級に戻ったのか」と質問してみてください。多分期待するような答えは返ってこないと思います。私も小学校4年生になるときや、中学校入学のときに特別支援学級から通常学級に戻すお手伝いをした経験がありますが、とても苦労しました。

就学指導委員会の判定そのものに問題点がある場合もあり、また時間的余裕のない中で指導を行うために、判定とは異なる就学先を保護者が選択する場合もあります。

特別支援学級にするか、それとも通常学級にするか、悩んでいるお母さんたちには、私は次のようにアドバイスしています。

「今は6歳ですが、20年後にこの子がグループホームではなくて、一般の社会でみんなと同じように暮らしていると信じられるならば、通常学級で学ばせることを考えましょう。困難は存在しますし、強迫性障がい、うつ病などの二次障がいの問題も出てくることがありますが、社会資源も活用して、何とか一生懸命やってみましょう。もし、この子が将来、普通の社会で生活をすることは無理だろうと考えるのであれば、特別支援学級、特別支援学校を選択するほうがよいかもしれません」

「特別支援学級に通わせるのは、近所の手前恥ずかしい」「家族や親族から文句を言われる」など、いわゆる世間体を考える方もいますが、あくまでも子どもの状況が決め手です。実際には1～2年、特別支援学級で集団生活に慣れてから通常学級に移ることが望ましいと感じられることもありますが、就学が判定に基づいて行われる以上、通常学級に移りたいと保護者が希望しても、就学指導委員会で通常学級に適するとの判定が出なければそれは現在のシステムではできません。もう少し柔軟な対応をとれるとよいのですが、現状ではなかなか難しいようです。

希望する学校に入学するために

親の希望に反して、就学指導委員会が、通常学級ではなく特別支援学級や特別支援学校への入学が適切と判定することもあります。こうした委員会の判定が納得できずに、保護者が通常学級を強く希望する場合には、入学前に調整が必要です。一方で私が相談にのっているケースの中には、就学時健診では特に問題を指摘されなかったものの、そのまま何もしないで小学校に入ると、すぐにでも問題が起きそうだと感じることもあります。

私は時間や状況が許せば、保護者と子どもと一緒に就学を希望している小学校を訪問し、校長、副校長、養護教諭、特別支援教育コーディネーターなどの学校職員に、子どもの現状、診断、将来予測される困難、希望する対応などについてのお話をするように努力しています。対象としているのは1年以上私が診察しているお子さんで、発達状況や生活上の問題点を把握できている場合です。もちろん就学後も必要に応じて学校との話し合いをすることもあります。しかし時間や距離の問題もあり、遠い場所への対応はできません。

これまでの経験から、私は学校との事前の話し合いがきわめて有効だと感じています。小学校に入り、学級に入ってしまうと担任の管轄下になり、その子への対応が外から見えにくくなります。しかし、担任が決まる前に学校を訪問し、管理職を含めて話し合いをすると、担当教諭だけでなく管理職とも情報を共有し、学校として共通の問題認識を持ってもらうことが可能になります。そのため、入学後も学校とのトラブルが減ります。

学校はいわば校長を頂点とする閉鎖的な社会ですが、このように第三者が関わっていることが入学前に明らかになると、入学後も保護者への対応が混乱しにくくなります。

しかし現在の医療体制ではこのような作業は、保険点数もなく、請求もできないので、ボランティアでするしかありません。

就学猶予

就学猶予は、療育者とはコミュニケーションが取れるようになったけれども、他の子どもたちと一緒に行動するのはまだ難しいという場合などに、選択肢のひとつにあがってきます。学校教育法第一八条では就学猶予について、次のように規定しています。

一七条第一項又は第二項の規定によって、保護者が就学させなければならない子（以下それぞれ「学齢児童」又は「学齢生徒」という。）で、病弱、発育不完全その他やむを得ない事由のため、就学困難と認められる者の保護者に対しては、市町村の教育委員会は、文部科学大臣の定めるところにより、同条第一項又は第二項の義務を猶予又は免除することができる。

自閉症の場合には「病弱、発育不完全」には該当しないので、「その他やむを得ない事由」に該当するかが問題となります。就学猶予の相談で、必ず言われることは「子どもの状況にあった学級や学校が用意されているのだから、遅れがあるのであれば、それに応じた学級・学校を選びなさい」ということです。そう言われても、通常学級に入れたいのであれば努力するしかありません。

しかし実際に1年間就学を遅らせて療育に取り組むということは容易ではありません。就学猶予を行政に認めさせるには、さまざまな事前準備が必要になります。私の経験からは、保護者と協議してから教育委員会と交渉し、就学猶予を得たこともありますが、とても苦労しました。ですから就学猶予を目指すのであれば、保護者の強い意志と、猶予の1年間のしっかりした計画が必要なことは言うまでもありません。漠然と1年待つということであれば、協力してくれる人は少ないと思います。

小学校は義務教育ですから、通う義務、通わせる義務があります。それを理解したうえで、どのような方法を取れば、わが子に最適かを考えるわけですから、情報を集めることも欠かせません。実際には地域による差も大きいので、住んでいる地域の情報を集めることも必要ですし、場合によっては望ましい体制がある地域に引っ越すことすらあるようです。

学校が決まったら個別教育プログラム（IEP）を作成しよう

自閉症の支援という面では、小学校入学は一つの転機になります。たとえば保健サービスの問題を考えても、就学前は母子（親子）保健事業なので厚生労働省の管轄ですが、就学後は学校保健事業となるため文部科学省の管轄です。個人情報保護の問題もあって、保健センター・

保健所や幼稚園・保育園が就学前の子どもの情報を、保護者の了解なしに、そのまま小学校に渡すことはできません。

自閉症を抱えた子どもたちが学校へ通うにあたっては、それが通常学級であれ特別支援学級であれ、特別支援学校であれ、保護者はどのような対応を学校側に望むかを考えておく必要があります。事前に要望事項や疑問点を学校側に伝えることが就学してからの対応をよりスムーズにします。

わが国では個別教育プログラム（Individual Educational Program：IEP）が普及しつつありますが、まだ十分に認識されていないようです。しかし個々の子どもたちに適切な対応を行い、能力の向上を目指すのであれば、何が必要で、そのためには何をすればよいかを明らかにするうえでも、ＩＥＰは必要だと考えています。

特別支援学級、特別支援学校では基本的にＩＥＰを作成します。自閉症児の場合は、抱えている問題は個々の子どもたちによって違いますので、通常学級に通う場合でもＩＥＰがあったほうが良いと思います。学校側でＩＥＰを作成してもらう場合には、学校のできる範囲に限ったＩＥＰになりやすいので、子どもにとって何が必要か、そのための対策までを盛り込むために、時には民間の機関に作成を依頼することもあります。

桜

年によっても、地域によっても違いますが、入学式は桜の季節に行われることが多く、満開の桜の下で、親子そろって記念写真を撮る、これは子どもを授かったときからの夢かもしれません。6歳になり、小学校入学が決まり、いろいろな不安が頭をよぎるかもしれません。でもその日は確実に近づいています。不安に押しつぶされるのでもなく、心配で眠れなくなるのでもなく、まずはその日を、何があっても楽しみましょう。子どもにとっても、それは新しいスタートの一日です。

第11章のまとめ

子どもの能力と将来を見きわめて進学先を選ぶ

5歳になれば小学校入学は目前です。障がいを抱えている場合には、通常学級、特別支援学級、特別支援学校などいくつかの選択肢がありますが、これらは就学時健診やその結果をもとに進められます。

社会人としての自立を目指すなら通常学級

就学指導では、特別支援学級への進学が勧められる場合もあります。委員からは「特別支援学級に進んでも通常学級に戻れる可能性がある」ことをほのめかされることもありますが、現実には困難です。私は、子どもが将来、一般社会で普通に暮らすことができるようになると信じられるのであれば、通常学級への進学を検討するようにお話ししています。

就学猶予という選択肢もある

個別療育によって、改善の余地が見られる場合でも、進学に不安がある場合は、就学を延ばす就学猶予という選択肢もあります。ただし、就学猶予が認められるためには、教育委員会との事前のねばり強い交渉が不可欠です。いずれの進学先を選ぶにせよ、入学前に学校関係者との意思疎通を図っておくことが、その後の対応をスムーズにします。

あとがき　夢をあきらめないで

子どもが生まれたとき、大きくなったら、これもさせたい、あれもさせたい、こんな仕事に就いてくれたらいいな、いろいろなことを夢見たと思います。

わが子が自閉症だとわかったときに、一度はそれが雲の向こうに消えていきます。しかし夢は思っているだけでは夢に過ぎません。夢を形にすることは容易ではありませんが、できなくはないかも知れません。子どもが生まれたときに思ったのは単なる夢、でも今考えることができるのは実現できるかもしれない夢です。療育をしている日々は「夢の途中」です。

夢とともにどうやって子どものパワーを発揮させるかも大切なことです。

●あいさつなど基本的な社会習慣を身につける
●交通ルールなど最低限必要な社会的ルールは守る
●がまんが必要なときにはがまんする

自閉症児が身につけなければならない能力として、以上のようなことがよく言われます。でもここまでで終わっては障がいのカバーだけで終わります。

図　龍安寺の方丈の裏にある蹲（つくばい）

きっとこの子には他人にできないけれども、この子ならではのできることがあるはずです。それを見つけるまでは「夢の途中」です。才能を見つけ、発揮できる場所を作る、そこまでが必要なのです。もちろんただ夢見ているだけでは進めません。

私は京都が好きで、龍安寺もしばしば訪れていますが、方丈の裏に蹲《つくばい》があり、口という形を中心にして4つの文字が刻まれています（図）。それぞれ口を部首として文字になっており、「吾、唯《ただ》、足るを知る」と読みます。禅語の一つです。

これはその現状に満足して努力をしないということではありません。欲張らないで、今を大切にすること、そして今できるようになったことに感謝すること、こうした意味が込められています。療育も同じです。もちろん今だけを見るのではなく、未来を考えることも大切なのですが、今できるようになったことを大切にし、そのことに感謝する。それが療育の日々を暗い毎日にしないことだと思います。

もっと他によい方法はないのか、他にできることはないのか、いろいろ考えると思います。しかし日々の暮らしの蓄積の中に今日があり、明日があるので、何かを手品のように変えてしまうことはできません。焦るのでもなく、頑張るのでもなく、あきらめるのでもなく、その日に感謝できることが、結局は子どもの成長につながるように思っています。

夢が「夢の途中」で終わらないために、それがとても大切だと感じています。


最後に本書にさまざまなご意見をいただいた「つみきの会」の会員の佐藤栄さん、池田孝子さん、渡辺志津子さん、「つみきの会」代表の藤坂龍司さん、こども発達支援室ＯＺ代表の瀬尾亜希子さん、自閉症ドットコム代表の塩田玲子さん、オーティネットの若井道子さん、ピラミッド教育コンサルタントオブジャパンの服巻繁さん、ＲＤＩ認定コンサルタントの白木孝二さん、本書の出版にご尽力いただきましたネルケブレインズアンドハーツの中原研一さん、フリーライターの清水直子さん、編集を担当した講談社の高月順一さん、イラストレーターの秋田綾子さんに心から御礼を申し上げます。

私事ながら、本書がまさに出来上がろうとするときに父、敏男（88歳）が冥途へ旅立ちました。私が3年前に公務員を辞めて今のように障がい支援の生活が中心になることを理解し、快く応援してくれました。思い出の数々とともに、本書をずっと私を見守っていてくれていた父に捧げたいと思います。

著者

参考図書

『わが子よ、声を聞かせて』（キャサリン・モーリス著、山村宜子訳／ＮＨＫ出版）
自閉症という診断を下されたわが子のために療育の道を求めてさまよい、苦労の末に子どもの発達にすばらしい改善を見た体験記。アメリカでの自閉症への対応の変化がよくわかります。ＡＢＡの実際のプログラムも書かれています。

『えっくんと自閉症』（末吉景子著／グラフ社）
自閉症という診断が下ったわが子の療育のためにアメリカにわたり、療育に取り組み、大きな効果があった体験記。現在の日本の状況を理解することに役立ちます。

『自閉症のすべてがわかる本』（佐々木正美監修／講談社）
尊敬する佐々木先生監修の本です。自閉症の特徴やＴＥＡＣＣＨについてわかりやすくまとめられています。

『アスペルガー症候群・高機能自閉症の子どもを育てる本』（佐々木正美監修／講談社）
やはり佐々木先生監修の本です。幼児期よりも学童期以降を中心として、対応方法や理解についてまとめられています。

『発達障害の理解と対応』（平岩幹男専門編集／中山書店）
自閉症を含む発達障がいについて、さまざまな角度から多くの先生方にまとめていただきました。値段が高いので、図書館に買ってもらうことがお勧めかもしれません。

『みんなに知ってもらいたい発達障害』（平岩幹男著／診断と治療社）
発達障がいについて私が初めてまとめた本です。自閉症は基本的には高機能自閉症についてまとめました。実際のお話も収録しました。

『幼稚園・保育園での発達障害の考え方と対応』（平岩幹男著／少年写真新聞社）
幼稚園・保育園でのＡＤＨＤや高機能自閉症についての考え方や対応をまとめました。保育士向けに書きましたが、保護者の方にも読んでいただける内容にしてあります。

『地域保健活動のための発達障害の知識と対応―ライフサイクルを通じた支援に向けて』（平岩幹男著／医学書院）
保健師や行政関係者に発達障がいを理解してもらうことを目的としてまとめました。発達障害者支援法の解説なども入っています。また実際のケースについても収録しました。

『発達障害――子どもを診る医師に知っておいてほしいこと』（平岩幹男著／金原出版）
小児科を含めた医師向けの本です。専門用語が多くなっていますが、保護者が読んでもわかりやすいように表現はなるべくやさしくしました。

『自閉症スペクトル』（ローナ・ウィング著、久保紘章、佐々木正美、清水康夫監訳／東京書籍）
ローナ・ウィングさんの名著です。一般の方には少しわかりにくい部分もありますが、自閉症とはどんなものかについてとてもよく書かれています。

『自閉症児のための絵で見る構造化――TEACCHビジュアル図鑑』(佐々木正美監修/学研)
幼児というよりは小学生以上を対象とした目で見る構造化のガイドブックですが、家庭内の環境整備など幼児期にも参考になる部分が少なくありません。

『TEACCHとは何か』(ゲーリー・メジホフ、ビクトリア・シェア著、服巻智子、服巻繁訳/エンパワメント研究所)
TEACCHの全体についてまとめられています。一般の方には少しわかりにくい部分もありますが、構造化とは何か、どのように目標を考えるかなどの点ではとても参考になります。

『自閉症へのABA入門』(シーラ・リッチマン、井上雅彦、奥田健次監訳/東京書籍)
ABAとは何かについてわかりやすく解説してあります。行動療法という、ただ耳にしただけではわかりにくい療育をいろいろな面から解説しています。

『自閉症児と絵カードでコミュニケーション』(アンディ・ボンディ、ロリ・フロスト著、園山繁樹、竹内康二訳/二瓶社)
絵カード交換システム(PECS)についてまとめられています。方法や手順が中心ですので、実際のカードなどについては別途に入手することになります。

『自閉症／アルペルガー症候群ＲＤＩ「対人関係発達指導法」』（スティーブン・Ｅ・ガットステイン著、杉山登志郎・小野次朗監修／クリエイツかもがわ）
ＲＤＩについてのほぼ唯一の参考書です。ＲＤＩの６つのステップについて、また対人関係の技能を修得することについて多くのページが割かれています。

『自閉症・アスペルガー症候群のＲＤＩアクティビティ［子ども編］』（スティーブン・Ｅ・ガットステイン、レイチェル・Ｋ・シーリー著、榊原洋一監訳／明石書店）
ＲＤＩの新しい考え方についての本です。３つのステージ、12のステップについて詳しく説明してあります。チェックリストもついています。

『ママがする自閉症児の家庭療育』（海野健、ＨＡＣの会）
家庭療育ＨＡＣプログラムについての解説とその評価が中心になっています。方法としては比較的取り組みやすくなっていますが、効果はＡＢＡのほうが高いと思います。入学１年前から読むことをお勧めしています。ＨＡＣプログラムのホームページhttp://homepage2.nifty.com/hac2001

『発達障害がある子どものためのおうちでできる学校準備』（道城裕貴、寺口雅美著／Kid's Power）
直接注文することになります（書店では販売していません）。入学したら必要になるスキルを中心として解説してあります。
（http://www.kids-power.net/）

『幼稚園・保育園での発達障害の考え方と対応：役に立つ実践編』（平岩幹男／少年写真新聞社）
会話ができるようなレベルになったら日常生活や幼稚園・保育園などの集団生活での子どもへの対応を実例を挙げて説明しています。

『発達障がい　ＡＢＡファーストブック』（上村裕章、吉野智富美／学苑社）
字が小さくて少し読みにくいのですが、デスクトレーニングだけではなくＡＢＡをこれから始める保護者向けにさまざまなトレーニング方法が保護者の体験も交えてまとめられています。

『教えて伸ばす　発達障害を抱えた幼児期の子どもたち』（平岩幹男監修、宍戸恵美子著／少年写真新聞社）
自閉症を含む幼児期の発達障害を抱えた子どもたちへの具体的な対応を中心として、またチェックリストなどにより療育の評価や経過がわかるような工夫もされています。

『自閉症スペクトラム障害――療育と対応を考える』（平岩幹男／岩波書店）
現在の自閉症に対する考え方やこれまでの歴史的な経緯、療育について概説しています。

『発達障害の子どもを伸ばす魔法の言葉かけ』（ｓｈｉｚｕ著、平岩幹男監修／講談社）
おもに家庭での子どもに対する声かけの実際をさまざまな例とともに紹介。子どもが発達障害を抱えている場合だけではなく、ふつうの子育てにおいても役に立ちます。

平岩幹男（ひらいわ　みきお）
医学博士、小児科専門医、小児神経専門医、日本小児保健協会常任理事、Rabbit Developmental Research代表、東京大学大学院医学系研究科非常勤講師、日本小児保険協会常任理事、啓明会中島病院付属なかじまクリニック発達外来。一九七六年東京大学医学部卒業、同年三井記念病院。一九八六年帝京大学小児科。一九八八年同講師。一九九二年戸田市立健康管理センター母子保健課長。二〇〇一年母子保健奨励賞、毎日新聞社賞受賞。皇居参内。二〇〇二年戸田市立医療保健センター（改称）参事。二〇〇四年ふるさとづくり振興奨励賞受賞。二〇〇七年office21kitatoda（二〇〇九年Rabbit Developmental Researchに改称）を開設。『みんなに知ってもらいたい発達障害』（診断と治療社）『乳幼児健診ハンドブック』（診断と治療社）『幼稚園・保育園での発達障害の考え方と対応』（少年写真新聞社）『いまどきの思春期問題――子どものこころと行動を理解する』（大修館書店）『発達障害――子どもを診る医師に知っておいてほしいこと』（金原出版）など著作多数。

健康ライブラリースペシャル

あきらめないで！　自閉症《じへいしょう》　幼児編《ようじへん》

二〇一〇年三月三〇日　第一刷発行
二〇一三年一二月三日　第五刷発行

著者　平岩幹男《ひらいわみきお》
発行者　鈴木哲
発行所　株式会社講談社
郵便番号一一二―八〇〇一
東京都文京区音羽二―一二―二一
電話番号　出版部　〇三―五三九五―三五六〇
販売部　〇三―五三九五―三六二二
業務部　〇三―五三九五―三六一五
印刷所　慶昌堂印刷株式会社
製本所　株式会社若林製本工場

N.D.C.493　250p　20cm
定価はカバーに表示してあります。
ISBN978-4-06-259652-7

[講談社　健康ライブラリー　イラスト版]

「うつ」に陥っているあなたへ

監修　野村総一郎
防衛医科大学校
精神科教授

「やる気がない」「眠れない」「ささいなことにイライラする」などには要注意！　知らないうちに「うつ病」にかかっている可能性がある。まわりの人間の対応から、適切な治療法までをイラストで詳しく解説。

1260円

パニック障害
心の不安はとり除ける

監修　渡辺　登
日本大学医学部精神医学系教授

突然始まる「死ぬかもしれない」という苦しい発作症状。発作はくり返され、多くの場合「うつ状態」へと移行する。本書ではパニックになる本当の原因と治療法を徹底解説。もう大丈夫、あなたは必ず治ります。

1260円

統合失調症
正しい理解と治療法

監修　伊藤順一郎
国立精神・神経センター精神保健研究所
社会復帰相談部部長

今でも誤解や偏見が多い統合失調症。本書では治療法や対処法を病気のステージに沿ってわかりやすくイラストで解説。家族全員で病気を理解し、正しくつき合っていくための知識と方法を満載した役立つ決定本。

1260円

社会不安障害のすべてがわかる本

監修　貝谷久宣
医療法人和楽会理事長

人前に出るのが怖い。他の人には何でもない事にさえ不安や恐怖を感じていませんか？　これは性格の問題ではなく放っておくとうつ病になる心の病。適切な治療をすれば必ず治り、あなたの人生も大きく変わる！

1260円

AD/HD（注意欠陥/多動性障害）のすべてがわかる本

監修　市川宏伸
東京都立梅ヶ丘病院院長

授業中に動き回る、キレやすい、忘れ物が多い。これらはAD/HDにみられる症状。放っておくと子どもは孤立し症状は悪化する。治療法はあるのか？　障害を正しく理解でき、対処法がわかるAD/HDの入門書。

1260円

定価は税込（5％）です。定価は変更することがあります。

【講談社　健康ライブラリー　イラスト版】

自閉症のすべてがわかる本

監修　佐々木正美　川崎医療福祉大学特任教授

言葉や感情表現が苦手な自閉症児。けっしてしつけや子供の性格のせいではない。その原因、特性、正しい対応とは？　ＴＥＡＣＣＨ《ティーチ》と呼ばれる療育プログラムの日本における第一人者がやさしく解説した入門書。

1260円

パーソナリティ障害（人格障害）のことがよくわかる本

監修　市橋秀夫　精神科医

対人関係がうまくいかずトラブルを起こすパーソナリティ障害。背景には現代社会の歪みが深くかかわっている。本書では特に多い境界性、自己愛性を中心に様々なタイプを詳説。イラストで読み解く完全ガイド。

1260円

ことばの遅れのすべてがわかる本

監修　中川信子　言語聴覚士

ことばの遅れは自閉症・ＡＤ／ＨＤのサインとして現れることもある。「他の子よりことばが遅い、病気なの？」と悩むママの不安に答える書。遅れの原因と対応法を詳しく解説。ことばをはぐくむ育て方も紹介。

1260円

アスペルガー症候群（高機能自閉症）のすべてがわかる本

監修　佐々木正美　川崎医療福祉大学特任教授

アスペルガー症候群は知的発達に遅れのない自閉症。人の気持ちを読みとれず「わがまま」と言われ、悩む子が多い。その特性に早く気づき、正しく対応すれば二次障害を防ぐことができる。子どもを守る必読書。

1260円

ＬＤ（学習障害）のすべてがわかる本

監修　上野一彦　東京学芸大学名誉教授

読み・書き・算数が苦手な子どもたち。今までの教育では落ちこぼれ、とり残されてきたが、特別支援教育導入で指導法が大きく変わった。本書は基礎知識から学校・家庭での対応法まで図解でわかる初のＬＤ入門書。

1260円

定価は税込（５％）です。定価は変更することがあります。

［講談社　健康ライブラリー　イラスト版］

ビジネスマンの心の病気がわかる本

監修　山本晴義
横浜労災病院
勤労者メンタルヘルスセンター長

朝になると不調を訴え、出勤できない人が急増中。多くは心の病気が原因だ。本書では、うつ病、社会不安障害、依存症など、11の病気の対処法を解説。休職と復職についてもアドバイス。家族や同僚にも役立つ書。

1260円

知的障害のことがよくわかる本

監修　有馬正高
東京都立東部療育センター院長

知的障害の子どもとどのように接して、むきあえばよいか。本書は知的障害の原因や特徴から社会支援の利用の仕方まで、イラストでやさしく解説する。知的障害への理解を深めることで不安を解消できる一冊。

1260円

不登校・ひきこもりの心がわかる本

監修　磯部　潮
いそべクリニック院長

一〇〇万人以上が悩んでいるといわれる不登校・ひきこもり。どうして外に出られないのか？　本人は何を悩んでいるのか？　子どもの心理状態をイラスト図解。八方塞がりの現状から抜け出すヒントが満載の一冊。

1260円

依存症のすべてがわかる本

監修　渡辺　登
日本大学医学部精神医学分野教授

やめたくても、やめられない!!　家族を犠牲にし心身をむしばむ依存症。始まりは底知れないさびしさから。本書では対人依存、プロセス依存、物質依存の心理を追究し、「生き方の病」から回復するルートを探る。

1260円

森田療法のすべてがわかる本

監修　北西憲二
森田療法研究所所長
日本女子大学教授

人はなぜ悩むのか？　拡大した悩みの背景にある生き方、考え方に着目し、心と体の自然治癒力を引き出す森田療法。うつへの対処の仕方をはじめ悩みに即した対処法を紹介する。治療を受けられる医療機関も掲載。

1260円

定価は税込（5％）です。定価は変更することがあります。